LA CONTABILIDAD TRIANGULAR
O DE PARTIDA TRIPLE

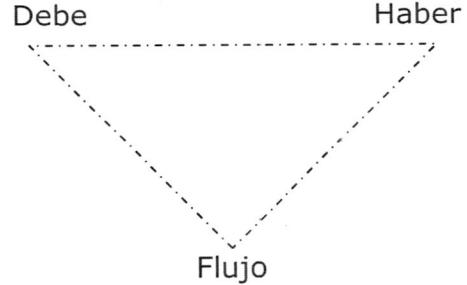

Antonio Arjona Brescolí

La contabilidad triangular o de partida triple

© Antonio Arjona Brescolí

ISBN: 978-84-9948-690-1
Depósito legal: A 549-2012

Edita: Editorial Club Universitario. Telf.: 96 567 61 33
C/ Decano, 4 – 03690 San Vicente (Alicante)
www.ecu.fm
ecu@ecu.fm

Printed in Spain
Imprime: Imprenta Gamma. Telf.: 96 567 19 87
C/ Cottolengo, 25 – 03690 San Vicente (Alicante)
www.gamma.fm
gamma@gamma.fm

A mis hijos, Marta y Pol, a mi familia
(en especial a mi madre Josefina) y a Sara.
Mi particular "contabilidad triangular".

ÍNDICE

PRÓLOGO

La pretensión del presente libro no es ser una revolución en la contabilidad ni crear una teoría académica, sino que el objetivo tiene un carácter más práctico: bajo una nueva perspectiva, contribuir a aportar un grano más de claridad al vasto sistema de información que la contabilidad genera para conocer la situación de la empresa y sus resultados, así como su evolución histórica.

No se trata de un nuevo sistema contable, ni de una forma distinta de contabilización, sino de una mejora sistémica, de una evolución lógica, de un agregado a la contabilidad actual: es un añadido, de fácil comprensión, de fácil implantación y de bajo impacto tecnológico, con lo que el valor añadido que aporta al generar nueva y relevante información supera con creces el bajo coste que implica (tanto a nivel tecnológico como a nivel de formación y/o conocimiento).

Como podrá apreciarse más adelante, la fácil comprensión del sistema permite que cualquier persona con conocimientos de contabilidad pueda asumir, casi de forma intuitiva, la estructuración y funcionamiento del mismo, sin una formación más allá de la convencional. Por tanto, para la comprensión y lectura del presente trabajo sí que es necesario un conocimiento previo del sistema contable de partida doble, ya que se dan por sabidos diversos aspectos de la contabilidad.

Por otro lado, mi sesgo de carácter profesional aporta una perspectiva más funcional que teórica, aunque no se ha obviado esta parte, y se recogen de forma general los principios fundamentales de estructuración y funcionamiento de la contabilidad triangular.

El autor

INTRODUCCIÓN y REFLEXIONES

La idea del presente trabajo nació a raíz de mi asistencia en el año 2009 a unas jornadas sobre contabilidad. En ellas, de entre las diferentes conferencias, un ponente apuntó la siguiente afirmación: "La contabilidad es la única ciencia económica que no ha avanzado desde su creación por Fray Luca Pacioli en el siglo XV: seguimos contabilizando el debe y el haber".

Desde un punto de vista genérico pensé: el conferenciante tiene razón. El principio del debe y el haber, de la partida doble, no ha evolucionado[1]. La contabilidad ha avanzado paralelamente a la complejidad de las operaciones que debía registrar, incluso en la última "gran reforma" con la adaptación de las Normas Internacionales de Contabilidad, han surgido otros conceptos más complejos en cuanto a las normas de valoración de registro y nuevos estados obligatorios como el Estado de Cambios en patrimonio neto y el estado de flujos de efectivo, pero al final, bajo una perspectiva simplista, seguimos utilizando el debe y el haber, la partida doble.

Mi reflexión continuó más allá y apoyándome en mis necesidades de información debido a mi profesión (*controller*), me surgieron otras consideraciones, que se detallan a continuación:

Respecto a los estados contables y la información generada

- En nuestros días, resulta obvio mencionar la importancia vital de controlar y conocer el flujo de efectivo de cualquier empresa, su origen y aplicación, y más en los tiempos actuales de escasez de liquidez y elevada dificultad de obtención de financiación. Las necesidades de información respecto a los flujos tienen su reflejo en la elevación del estado de flujos de efectivo a la categoría de Modelo Normal dentro de la cuentas anuales, dejando de formar parte de la memoria y tomando

---

[1] Si bien es cierto que intentos ha habido: como la contabilidad de partida triple propuesta por el profesor ruso Esersky a principios del siglo XX, y otros intentos de partidas múltiples posteriores.

un protagonismo relevante en la información que debe facilitar una empresa, junto con el Estado de Cambios en el patrimonio neto.

Así lo recoge la última gran reforma de contabilidad, expresado en capítulo III de la introducción del Real Decreto 1514/2007, de 16 de noviembre, por el que se aprueba el Plan General de Contabilidad, donde se tilda de "gran novedad" la incorporación de dos nuevos estados a las cuentas anuales, uno de ellos el estado de flujos de efectivo, y donde se cita: "También se introduce como novedad el estado de flujos de efectivo, con el fin de mostrar la capacidad de generar efectivo o equivalentes al efectivo así como las necesidades de liquidez de la empresa debidamente ordenadas en tres categorías: actividades de explotación, inversión y financiación".

- Respecto a los cuatro estados que componen las cuentas anuales normales, el balance agrupa y agrega las cuentas de balance o patrimonio, clasificadas desde el grupo 1: Financiación Básica, al grupo 5: Cuentas Financieras, del cuadro de cuentas expuesto en la cuarta parte del Plan General Contable (PGC en adelante)[2]. La cuenta de Pérdidas y Ganancias agrupa y agrega las cuentas de resultados, clasificadas en el grupo 6: Compras y Gastos, y en el grupo 7: Ventas e Ingresos, del cuadro de cuentas del PGC. El Estado de Cambios en patrimonio neto, compuesto por dos documentos, tiene su origen en la variación de determinadas partidas del balance, y por extensión de la variación de cuentas del balance, para la confección del estado B) Estado total de cambios en el patrimonio neto, y, por otro lado, agrega y agrupa las cuentas del grupo 8: Gastos imputados al patrimonio neto, y del grupo 9: Ingresos imputados al patrimonio neto, para la elaboración del estado A) Estado de ingresos y Gastos Reconocidos.

Así lo refleja el propio PGC, que, al mostrar los modelos normales, incluye una columna en la parte izquierda de los mismos, donde se detallan los números de cuentas que afectan y se corresponden con los distintos epígrafes y partidas de los estados. En el anexo I se muestran los estados normales y la correspondencia de las cuentas de los diferentes grupos con los conceptos del balance, de la cuenta de Pérdidas y Ganancias, y del Estado de Cambios en el patrimonio neto, tal como se han publicado en el Real Decreto 1514/2007, de 16 de noviembre, por el que se aprueba el Plan General de Contabilidad.

---

[2] Recogido en Real Decreto 1514/ 2007, de 16 de noviembre, por el que se aprueba el Plan General de Contabilidad.

En cambio, el único estado que no presenta correspondencia con número de cuentas es el estado de flujos de efectivo. Puede verse en el anexo I tal como se presenta en el Real Decreto 1514/2007, de 16 de noviembre, por el que se aprueba el Plan General de Contabilidad.

- Del punto anterior queda claro que, con la agrupación de las diferentes cuentas en sus respectivos grupos y ordenados según los epígrafes de los distintos estados, el balance, las cuentas de pérdidas y ganancias, y el estado de ingresos y gastos pueden elaborarse directamente. Es decir, con el debe y el haber, y por extensión con los saldos que presenta el libro mayor de las distintas cuentas, pueden elaborarse dichos estados a través de la agregación de los saldos, y agrupados según las correlaciones con los epígrafes. Este hecho permite obtener el máximo detalle de cada uno de los epígrafes y partidas de los distintos estados, así como su evolución histórica y/o acotar periodos.

La obtención del máximo detalle de los distintos epígrafes es fácil (y más con los sistemas de información contables que existen actualmente en el mercado). De cada epígrafe puede obtenerse una relación de las cuentas que componen dicho epígrafe, con sus saldos a una determinada fecha, y llegar hasta un hecho contable en concreto que explicaría parte del saldo, tal como muestra el siguiente ejemplo:

Ejemplo: Supongamos una empresa que presenta en su balance de cierre, el epígrafe II. Inmovilizado Material, dentro del activo no Corriente, un saldo final de 38.500,00 unidades monetarias (u.m.), desglosado en las siguientes partidas:

A) ACTIVO NO CORRIENTE	Saldo a cierre
II. Inmovilizado Material	**38.500,00**
1. Terrenos y Construcciones	*31.000,00*
2. Instalaciones técnicas y otro inmov. Material	*7.500,00*
3. Inmovilizado en curso	*0,00*

En este ejemplo, el epígrafe del Inmovilizado Material está formado por la agregación (suma) del saldo de dos partidas: Terrenos y Construcciones por 31.000,00 u.m., e Instalaciones técnicas y otro inmovilizado material por 7.500,00 u.m. La partida de Inmovilizado en curso no presenta saldo (lo que no significa que no hubiera tenido movimientos durante el periodo).

Como las partidas y epígrafes se componen de los saldos de las cuentas, resulta sumamente fácil obtener un desglose de las cuentas que componen el saldo de la partida 1.Terrenos y Construcciones de 31.000,00 u.m.:

A) ACTIVO NO CORRIENTE		Saldo a cierre
II. Inmovilizado Material		**38.500,00**
1. Terrenos y Construcciones		31.000,00
210 Terrenos y Bienes Naturales	10.000,00	
211 Construcciones	45.000,00	
2811 Amortización acumulada de construcciones	−9.000,00	
2911 Deterioro de valor de construcciones	−15.000,00	
2. Instalaciones técnicas y otro inmov. Material		7.500,00
3. Inmovilizado en curso		0,00

Como puede apreciarse, la partida de Terrenos y Construcciones se compone y agrupa el saldo de 4 cuentas diferentes: 210, 211, 2811 y 2911.

A su vez, podemos obtener el libro mayor de la cuenta 211 Construcciones y por consiguiente la composición de su saldo de 45.000 u.m., es decir, vemos la relación de movimientos que se han producido en la cuenta:

Cuenta 211 Construcciones

Concepto	Debe	Haber
Adquisición Edificio Oficinas el 1-1-20x1	35.000,00	
Adquisición de Almacén el 30-6-20x1	10.000,00	
Saldo deudor:	**45.000,00**	

Tal como muestra el libro mayor de la cuenta 211 Construcciones existen dos movimientos que han dado como resultado final el saldo de la cuenta: uno realizado el 1-1-20x1, que corresponde a la adquisición de un edificio de oficinas por valor de 35.000,00 u.m., y otro asentado el 30-06-20x1, que corresponde a la adquisición de un almacén por valor de 10.000,00 u.m.

Por último, podemos conocer la operación o hecho contable que provocó un determinado registro contable a través de su asiento, por ejemplo, el detalle del libro diario del movimiento de fecha 1-1-20x1 por la adquisición de un edificio de oficinas:

Debe		1-1-20x1		Haber
35.000,00	210 Construcciones	a	572 Bancos	35.000,00

Con lo que podemos concluir que dicha construcción se pagó a través de bancos.

Como puede apreciarse, desde el saldo del epígrafe II.Inmovilizado Material podemos "navegar" y llegar al hecho contable que explica y forma parte del saldo de dicho epígrafe. En este ejemplo, la adquisición de un edificio de oficinas con fecha 1-1-20x1 es el origen de parte del saldo del epígrafe analizado.

Tal como se ha mostrado en el ejemplo anterior, la elaboración directa de los estados por agregación de las cuentas pone a disposición del usuario toda la información obtenida gracias al detalle de cada uno de los movimientos y de los hechos contables que las compusieron, aportando, para la toma de decisiones y para su análisis, información valiosa, detallada y de gran utilidad, tanto a nivel estático como a nivel comparativo de distintos periodos.

Hay que añadir, como ya se apuntó anteriormente, que todos los sistemas de información contable actuales permiten, de una forma más o menos compleja, realizar un "zoom" y llegar al detalle del hecho contable que compone un determinado saldo de una partida del balance o de la Cuenta de Pérdidas y Ganancias.

En este punto, hay que mencionar que en realidad la descripción realizada anteriormente corresponde al esquema inverso del proceso de contabilidad (que en este libro se expone más adelante), pero que es de esta forma como normalmente se puede extraer y analizar con más detalle la información que se muestra en un balance o en una Cuenta de Pérdidas y Ganancias. A los usuarios y analistas de la información contable, este proceso inverso nos resulta muy útil para excavar en las entrañas de los estados para conocer el origen y la evolución de los epígrafes de dichos estados.

En cambio, y aquí encontramos una gran paradoja, al no existir una correlación directa entre las cuentas y los epígrafes del estado de flujos de efectivo, no puede obtenerse directamente dicho estado, resultando imposible confeccionar el estado de la misma forma en que se elaboran el balance y la Cuenta de Pérdidas y Ganancias. Y en consecuencia es difícil desglosar información detallada de los epígrafes del mismo, y aún genera más dificultad obtener información con el mismo nivel de "zoom" con que se obtiene del balance o de la Cuenta de Pérdidas y Ganancias hasta llegar al hecho contable.

Además, para obtener el estado de flujos de efectivo es necesario tener cerrados dos periodos (normalmente dos ejercicios económicos), ya que hay información que se elabora partiendo de la variación del periodo, y también es necesaria información extra contable, que no se recoge en los saldos del balance y la Cuenta de Pérdidas y Ganancias. Consecuentemente, tampoco puede obtenerse la evolución histórica de los epígrafes que componen el mismo de una forma directa.

Por tanto, parece obvia la carencia que presenta el estado de flujos de efectivo en comparación al resto de estados obligatorios en cuanto a la elaboración y posibilidad de obtener información detallada de los mismos, y sería de gran utilidad y aportaría gran valor añadido al análisis de la situación de la sociedad, poder obtener la información relativa al estado de flujos de efectivo con el mismo nivel de detalle que puede extraerse la información del resto de los estados normales.

Respecto al hecho contable y el flujo de efectivo

- El activo del balance, y por extensión generalmente las cuentas de saldo deudor, recoge los derechos, la inversión, los destinos, etc., y el pasivo y el patrimonio neto del balance, y por extensión generalmente las cuentas de saldo acreedor, recoge las obligaciones, la financiación, los orígenes, etc. La Cuenta de Pérdidas y Ganancias, y por extensión las cuentas de ingresos y gastos de los grupos 6 y 7, recoge el resultado que se ha devengado durante el ejercicio.

- El estado de flujos de efectivo explica las variaciones en tesorería que se producen por los incrementos o disminuciones de los flujos procedentes de las actividades de explotación, inversión y financiación durante el ejercicio o periodo acotado[3] (y así se agrupa en la estructuración del estado), pero no existe detalle de cuentas que muestren este movimiento de flujo de las actividades (o hechos contables), ni un reflejo en el libro diario ni en el libro mayor o similares.

- En el libro diario puede apreciarse si la operación (hecho contable) que se asienta afecta a distintas partidas del balance y/o de la Cuenta de Pérdidas y Ganancias, en cambio, no se puede ver si afecta directamente al flujo de efectivo ni en qué partida del estado de flujos de efectivo le afecta.

Cabe aquí una reflexión sobre la definición del flujo de efectivo entendida como un movimiento que no tiene por qué estar relacionado con las cuentas de efectivo o caja. El flujo de efectivo debe entenderse en sentido general como una corriente que se mueve a través de la empresa, como recursos que circulan por la misma, y que no siempre se corresponden con un movimiento de tesorería o caja. La empresa se define, entre otras muchas cosas, como un sistema de flujos de fondos[4], los cuales circulan y van trasvasándose entre unas cuentas y otras.

Hay hechos que impactan en el flujo de efectivo, pero en cambio no afectan en caja, como puede ser el cambio de un proveedor o cliente y consecuentemente las condiciones de pago o cobro. Cambios en determinadas características del pago o cobro no afectan netamente a la tesorería: al final pagaremos nuestras deudas y cobraremos de nuestros clientes, por tanto, el saldo final en caja será el mismo, pero el flujo de efectivo, la corriente que circula por la empresa será distinta. Por tanto, el flujo de efectivo debe considerarse como una variable

[3] Carmona Ibañez, P. "La elaboración del estado de flujos de efectivo: metodología práctica". *Revista Partida Doble*, núm. 193, páginas 50 a 69, noviembre, 2007.

[4] Gómez-Bazares, F. *Las decisiones financieras en la práctica*. Ed. Desclee de Brouwer. 9.ª edición, 2004.

básica para el conocimiento del devenir financiero de la empresa, y de hecho actualmente así se trata.

Por ejemplo, un proveedor que nos da un crédito a 60 días, físicamente no nos da dinero, pero nos permite disfrutar durante esos dos meses de unos fondos, por tanto, obtenemos un origen de fondos, que no se registra en caja, pero que al final sí que impacta en los fondos obtenidos y por extensión tendrá su reflejo en el estado de flujos de efectivo. En este caso se ha producido un flujo de entrada de fondos.

De la misma forma, un cliente al que le concedemos una prórroga del pago de su deuda durante tres meses no genera un movimiento de caja o bancos, pero sí que dejamos de recibir ese importe, por lo tanto, estamos destinando fondos a financiar ese determinado cliente. En este caso se produce un flujo de salida de fondos.

También puede darse la situación de que una operación no tenga un impacto neto en tesorería y sí haya habido movimiento en la misma, como podría ser la adquisición de un activo financiado por capital ajeno. En este caso, el efecto en la cuenta de tesorería o caja es neutro, al entrar un fondo por financiación (origen) y salir para la adquisición del activo (aplicación), pero en cambio sí que se producen movimientos en los flujos de efectivo de inversión y de financiación, y sobre todo en la estructura del activo y del pasivo de la empresa. Por un lado, la empresa ha recibido fondos (préstamo), que en este caso coinciden con una entrada de dinero físico y que afecta al flujo de efectivo de financiación incrementándolo, y por otro ha aplicado fondos, que coinciden con el importe pagado para la adquisición, y por tanto afecta al flujo de efectivo como una salida por inversión, en este caso, negativamente.

Otros ejemplos de operaciones sin impacto neto en tesorería pueden ser cuando en un ejercicio se han realizado dos operaciones de signo contrario y mismo importe, como la compra de un activo y simultáneamente la venta de otro, o el reembolso de un préstamo y simultáneamente la obtención de otro.

Haciendo uso del símil que utiliza Gómez-Bazares (2004)[4] en la definición de la Cuenta de Pérdidas y Ganancias y del estado de flujos de efectivo (o Estado de Fuentes y Empleos de Fondos, una versión no normalizada del estado), que los visualiza como "un resumen de una película" (en comparación con el balance, que representa una fotografía en un momento determinado), tenemos que: si deseamos un extracto de los flujos económicos acudiremos a la Cuenta de Pérdidas y Ganancias, que sería el resumen de una película. Por extensión, podremos acudir a las cuentas del grupo 6 y 7 y sus respectivos extractos o libros mayores, que serían la película completa, y profundizando más, podremos llegar a ver fotograma a fotograma, que serían los asientos contables (el hecho contable). Por el contrario, si deseamos un extracto de los flujos financieros, acudiremos al estado de flujos de efectivo, que sería el resumen de la película, pero no podremos acudir a la película completa de la misma forma, fácil y directa, con que se accede a las cuentas de resultados, ni mucho menos ver fotograma a fotograma: la afectación al flujo de un determinado hecho contable.

Por tanto, existe otra carencia comparativa en cuanto a la omisión del registro en el libro diario (en el asiento) del movimiento del flujo, de la misma forma que se registran los derechos, las obligaciones, las ganancias, las pérdidas, y con el nuevo PGC, el reconocimiento de los ingresos y los gastos (grupo 8 y 9 del cuadro de cuentas). Si existiese un registro del flujo de efectivo en el asiento, podríamos tener el fotograma del hecho contable, y al final, fotograma a fotograma, poder ver toda la película.

Todo lo anterior puede resumirse en una pregunta: *¿Cómo afecta esta decisión o esta transacción al flujo de efectivo de la empresa o al estado de flujos de efectivo?* Cualquier gestor de empresa se cuestiona, ante una decisión, cuál será su efecto sobre los resultados y sobre el patrimonio de la empresa, incluso sobre la liquidez y/o solvencia, pero rara vez se preguntan o intentan determinar de antemano qué efecto existe sobre el flujo de efectivo de la empresa.

Respecto al estado de flujos de efectivo y su elaboración

El estado de flujos de efectivo, tal como se ha mencionado anteriormente, es el cuarto estado normal y de obligada presentación dentro de las Cuentas Anuales[5].

Su origen se encuentra en la Norma Internacional de Contabilidad número 7 (NIC 7), que ofrece dos alternativas: por un lado, el método directo y el recomendado, y, por otro lado, el método indirecto, que es el que ha adoptado

---

[5] Las sociedades que puedan formular el balance abreviado están exentas de presentar el estado de flujos de efectivo.

el Real Decreto que regula el nuevo PGC, y concretamente respecto a su confección, en la Norma 9.ª estado de flujos de efectivo, en la tercera parte del PGC dentro de las Normas de Elaboración de las Cuentas Anuales, recogido en el Real Decreto 1514/ 2007, de 16 de noviembre, por el que se aprueba el Plan General de Contabilidad (puede verse en el anexo V).

A modo de resumen, el estado de flujos de efectivo refleja el efectivo generado y requerido en las operaciones de la empresa, explicando la variación que se ha producido en la tesorería de la empresa y completando la información sobre el beneficio de la Cuenta de Pérdidas y Ganancias, bajo el principio de devengo, con la información relativa a los flujos financieros.

El estado, según el método indirecto, se estructura de forma escalar y parte del resultado del ejercicio antes de impuestos, sobre el que se realizan determinadas correcciones que se denominan Ajustes del resultado, y que se agrupan en:

- Partidas que no suponen movimiento de efectivo pero sí que tienen impacto en resultados: amortizaciones, provisiones, deterioros de valor, valoración existencias, etc.

- Resultados relacionados con las actividades de inversión y financiación.

Luego, los flujos de efectivo se agrupan y ordenan en tres categorías:

○ Actividades de explotación: con carácter general recoge los cobros y pagos ordinarios.
○ Actividades de inversión: cobros y pagos por adquisiciones y enajenaciones de activos.
○ Actividades de financiación: cobros y pagos por aumentos y disminuciones de pasivos no corrientes y patrimonio neto.

Finalmente, con la suma de las tres categorías de actividades y el efecto de las variaciones de los tipos de cambio sobre las partidas de las categorías, se obtendrá la variación del flujo de efectivo, que coincidirá con la variación de la tesorería que se ha producido durante el ejercicio, y que se refleja en el estado como la diferencia entre el efectivo o equivalentes al comienzo del ejercicio y el efectivo o equivalentes al final del ejercicio.

Es necesario, y así lo detalla el PGC, definir claramente el efectivo: que será el dinero disponible en caja y en bancos, y los equivalentes de efectivo: que serán las inversiones a corto plazo de elevada liquidez (tres meses como máximo hasta el vencimiento) y que no exista riesgo significativo de cambios de valor y que formen parte de la política de gestión normal de la tesorería de la empresa. El efectivo y efectivos equivalentes figuran en el balance, epígrafe B.VII Efectivo y otros activos líquidos equivalentes del activo del balance.

Cabe aquí una observación sobre el estado de flujos de efectivo: su cuadre independiente. El balance tiene como cuadre general que el total del activo debe ser igual a la suma del pasivo y del patrimonio neto[6]. La Cuenta de Pérdidas y Ganancias, en cambio, no debe ajustarse a ningún cuadre general, al tratarse del devenir de un flujo económico. El estado de flujos de efectivo sí que presenta un cuadre: el resultado antes de impuestos, más/menos los flujos de las actividades de explotación, inversión y financiación y el efecto de las variaciones de los tipos de cambio, da como resultado la variación de tesorería (la variación entre dos saldos de distinto periodo de las cuentas de efectivo y equivalentes de efectivo).

Matemáticamente podría expresarse de la siguiente forma:

RESULTADOS + FLUJOS DE ACTIVIDADES = MOVIMIENTO DE TESORERÍA

En donde:

Los **RESULTADOS** son los resultados del periodo antes de impuestos, los **FLUJOS DE ACTIVIDADES** son los flujos de efectivo de las actividades de explotación, inversión y financiación que se han producido durante el periodo y los efectos de las variaciones de los tipos de cambio, y el **MOVIMIENTO DE TESORERÍA** es la variación que se ha producido durante el periodo en las cuentas de tesorería (efectivo y equivalente de efectivo).

Además, también puede observarse que el estado de flujos de efectivo está ligado directamente al balance, a través del saldo inicial y final del epígrafe VII Efectivo y otros activos líquidos equivalentes, y a la Cuenta de Pérdidas y Ganancias, a través del resultado antes de impuestos.

---

[6] Ecuación básica de la contabilidad, en donde ACTIVO – PASIVO = PATRIMONIO NETO.

- Respecto a la confección del estado se ha escrito abundantemente y se han aportado distintas metodologías, todas con el objetivo de confeccionar el estado y obtener información del mismo, pero las distintas metodologías presentan tres características comunes:

  ✓ No son de elaboración directa, entendida como la agregación y agrupación de cuentas como lo son el balance y la Cuenta de Pérdidas y Ganancias —y que se ha comentado anteriormente—.

  ✓ Es necesario obtener información adicional no registrada contablemente, la comparación de dos balances y la cuenta de pérdidas y ganancias. Por tanto, para preparar el estado de flujos de efectivo es necesario disponer del balance del ejercicio actual, del balance del ejercicio anterior, ambos antes del asiento del impuesto de Sociedades. También es necesaria la Cuenta de Pérdidas y Ganancias, y, por último, acceder a otra información complementaria para ciertas operaciones y a datos más desagregados sobre los movimientos de las cuentas afectadas para determinar el origen y el destino de los flujos financieros afectados.

  ✓ Presentan o critican, con más o menos intensidad, ciertas carencias o lagunas en el tratamiento y registro en el estado de flujos de efectivo asociados a determinadas operaciones. A modo de desglose no exhaustivo, destacan la siguientes:

    a.- No se cita expresamente ni en el PGC ni en la Norma Internacional Contable el tratamiento de los flujos de efectivo del impuesto sobre el Valor Añadido (IVA). Algunos autores lo tratan en términos netos en el apartado relativo a las actividades de explotación, mezclando los flujos de efectivo por IVA que afectan a distintos tipos de actividades: de inversión, de explotación o de financiación. Otros abogan por diferenciar los flujos según las actividades a que correspondan, pero en el caso de que dicha diferenciación resulte difícil de establecer, los consideran como flujos de efectivo por operaciones de explotación.

    b.- La utilización del método indirecto supone, en muchos casos, obtener el flujo de efectivo por actividades de explotación de forma global, por diferencia de saldos de epígrafes de balance, sin poder determinar uno a uno sus elementos: clientes, deudores, proveedores, acreedores, etc. Obtener el flujo de efectivo elemento a elemento, con la misma metodología que se utiliza en el método directo, implica un coste mayor y más complejidad en la obtención de la información para su elaboración, razón que explica que algunas transposiciones de la norma internacional hayan adoptado y/o permitido el método indirecto.

c.- En el estado de flujos de efectivo propuesto por el PGC se observa que el flujo de efectivo por pago de dividendos se ha clasificado dentro de los flujos de las actividades de financiación, en cambio, los flujos de efectivo relacionados con los intereses pagados y cobrados, y los dividendos cobrados se han incorporado dentro de los flujos de las actividades de explotación, reflejándose separadamente[7]. La NIC 7 establece que dichos flujos puedan presentarse de forma separada según formen parte de actividades de explotación, inversión o financiación, pero el PGC defiende su clasificación dentro de los flujos de explotación por su práctica habitual y porque permite una mayor comparabilidad de la información entre empresas. Por tanto, en una operación como, por ejemplo, el pago de la cuota de un préstamo, se registra como un flujo de efectivo de una actividad de financiación la devolución del principal, y como un flujo de efectivo clasificado en la categoría de flujos de explotación, los intereses pagados.

d.- Puede existir cierta complejidad o complicación para mostrar o detectar el movimiento de flujos de efectivo, si en un mismo ejercicio se producen movimientos de signo opuesto en la misma cuenta de activo o pasivo, o dentro del mismo epígrafe en el activo o pasivo del balance, como, por ejemplo, la adquisición de un activo y simultáneamente la venta de otro, o el reembolso de un préstamo y simultáneamente la obtención de otro. Este tipo de movimientos, al no tener un reflejo directo en balance o en el saldo de las cuentas afectadas, pueden no reflejarse

---

[7] Tal como se cita en el apartado 1.c) de la Norma 9.ª para la elaboración de las Cuentas Anuales del Real Decreto 1514/2007 (véase anexo V: Norma 9.ª estado de flujos de efectivo, en la tercera parte del PGC dentro de las Normas de Elaboración de las Cuentas Anuales).

en el estado de flujos de efectivo, por lo que la información presentada en el Estado sería correcta, pero no completa.

e.- Existe cierta pérdida de información en el estado de flujos de efectivo, en relación con los flujos de efectivos procedentes de activos y pasivos financieros que presenten alta rotación, que tal como permite la norma 9.ª de elaboración de las cuentas anuales, pueden presentarse en términos netos, pero debe informarse en la memoria. Entiendo que la propuesta de la norma pretende simplificar y reducir la carga de trabajo que supondría confeccionar el estado teniendo en cuenta todos estos flujos.

f.- La norma 9.ª describe que determinadas transacciones no monetarias de inversión o financiación, que no producen variaciones de tesorería y que no se hayan incluido en el estado de flujos de efectivo, deban informarse en la memoria. Cita como ejemplos de este tipo de transacciones: la adquisición de activos mediante arrendamientos financieros, o la conversión de deuda en patrimonio neto. Si bien es cierto que no existe un impacto en el efectivo de la empresa, sí que existe un impacto en la estructura del activo y/o del pasivo de la empresa, y, por lo tanto, sí que se ha producido un movimiento de flujos a través de las partidas de balance, por lo que parecería lógico, aunque su resultado neto sea nulo, que pudiera informarse en el estado de flujos de efectivo.

h.- El PGC clasifica los flujos de efectivo procedentes del impuesto de sociedades dentro del estado de flujos de efectivo como actividades de explotación. Es obvio que los impuestos sobre beneficios pueden surgir de actividades de explotación, de inversión o de financiación, pero puede resultar complejo y arbitrario asociar el flujo de efectivo del impuesto con las distintas actividades. La NIC 7 indica la posibilidad de asociarlos a categorías de inversión o financiación cuando sea posible vincular a operaciones concretas de inversión o financiación y clasificadas en sus respectivas categorías. Por tanto, la comparabilidad entre empresas es adecuada, pero la información emanada del estado de flujos de efectivo para la toma de decisiones puede no ser del todo exacta.

g.- La elaboración del estado de flujos de efectivo se asocia siempre a un ejercicio cerrado y completo[8], y, por tanto, los ejemplos de confección que abundan en la literatura técnica toman para su desarrollo los datos de un ejercicio completo.

Hoy en día, no existe dirección o gestores de empresa que no exijan a su departamento financiero la elaboración de los estados financieros, sobre todo la cuenta de pérdidas y ganancias, con carácter trimestral o mensual, o incluso menor, para el seguimiento del negocio y la toma de decisiones. En cuanto al estado de flujos de efectivo no suele existir la misma exigencia de periodicidad, básicamente por su carácter anual normativo, y sobre todo por su complejidad de elaboración. A pesar del alto grado de valoración que se le da a la información que proporciona dicho estado, no se ha conseguido trasladar dicha importancia a la periodicidad de reporte a la dirección, siendo de uso más común la elaboración periódica de un *cash flow* (entendido genéricamente como el beneficio más las amortizaciones y las provisiones).

- Otra consideración respecto al estado de flujos de efectivo es que se toma, además de proporcionar información valiosa a los usuarios que la requieren: analistas, proveedores, inversores, etc., como una herramienta de control interno y externo. Internamente ha derivado como instrumento en la gestión interna para los gestores y propietarios de las empresas, formando parte de cuadros de mando e indicadores de gestión en reportes anuales, proporcionando información sobre la liquidez, y el origen y destino de la misma, y la capacidad de la empresa para generar dividendos. Por otro lado, desde la perspectiva del control externo aporta otra herramienta para el control y verificación de la "imagen fiel del patrimonio y de la situación financiera"[9] de los auditores externos. Si se pudiese acceder a los fotogramas de la película del estado de flujos de efectivo (haciendo uso del símil descrito en el punto anterior) y con una periodicidad mayor a la anual, el auditor externo o el *controller* de

---

[8] **Real Decreto 1514/ 2007, de 16 de noviembre, por el que se aprueba el Plan General de Contabilidad. "9.ª estado de flujos de efectivo** El estado de flujos de efectivo informa sobre el origen y la utilización de los activos monetarios representativos de efectivo y otros activos líquidos equivalentes, clasificando los movimientos por actividades e indicando la variación neta de dicha magnitud en el ejercicio".

[9] Típica frase utilizada en los informes de auditoría, para referirse a la opinión que le merecen al auditor las cuentas anuales de la empresa auditada.

la empresa podrían llegar en su verificación o análisis al origen último del hecho contable que provocó el movimiento de flujo, proporcionando información sustancial, tanto para comprobación y chequeo del estado, como información del impacto de determinados hechos en el flujo de efectivo de la empresa y su capacidad de generar o utilizar recursos.

- Y, por último, al existir unas normas y/o estándares de carácter general para elaborar el estado de flujos de efectivo reflejadas en la norma 9.ª de elaboración de las cuentas anuales, puede darse el caso de que un estado de flujos de efectivo de una misma empresa elaborado por dos personas distintas difiera en algunos aspectos (al igual que un hecho contable puede ser reflejado de formas distintas, sin distorsionar su naturaleza). Por lo tanto, sería de gran utilidad la existencia de un marco general que dotara de transparencia al proceso de elaboración del estado de flujos de efectivo. No se trata de crear un manual de elaboración, sino un sistema de contabilización de los flujos, vinculado al asiento de la contabilidad diaria, que ofrezca unos criterios y metodología general para la confección del estado de flujos de efectivo.

Respecto a la coyuntura actual de la información contable

- La crisis financiera que llevamos soportando hace largos meses crea la necesidad de conocer al detalle la afectación al flujo de efectivo de cualquier operación o decisión que se tome, con el mismo grado de interés o incluso mayor que el de conocer cómo afecta a la cuenta de resultados el mismo hecho o transacción. Cualquier gestor de empresa debería visualizar cómo afectaría al flujo de efectivo, cualquier operación con la misma facilidad y agilidad que visualiza la afectación a resultados. Para los profesionales relacionados con la contabilidad o con formación en materia económica, la estructuración de la contabilidad actual nos permite mentalmente llevar a cabo la visualización de una operación y ver su afectación a resultados o al balance, e incluso a qué epígrafe de la cuenta de pérdidas y ganancias o del balance impacta, de una forma razonablemente fácil. En cambio, todavía queda lejos que esa agilidad se traslade en la representación mental de la afectación al flujo de efectivo, y menos aún en qué epígrafe o partida del estado de flujos de efectivo impacta.

Como ejemplo del razonamiento anterior, hagamos un ejercicio de visualización de una operación de compra de un equipo informático:

fácilmente podemos visualizar qué afectará al activo, incrementando los activos no corrientes y en concreto a la partida del inmovilizado material. Por otro lado, también deducimos que afectará a los resultados a través de dos partidas: primero, como gasto de explotación, por la amortización anual, y, segundo, como menos gasto de impuestos, al reducir la base impositiva al tratarse de un gasto deducible (bajo el supuesto de que lo sea). La pregunta siguiente es obvia: ¿cómo afecta flujo de efectivo de la empresa? ¿Y al estado de flujos de efectivo? Para la mayoría de los que nos dedicamos, desde una perspectiva u otra, a la contabilidad, la respuesta no resulta tan obvia y fácil como la deducción anterior respecto al impacto en resultados y balance.

- Por extensión y partiendo desde el punto de vista contrario, también existe la necesidad de obtener más detalle en cuanto a la información relativa al estado de flujos de efectivo, y, sobre todo, más precisa, mostrándose información del origen y destino de los flujos y su evolución histórica, distinguiendo asiento por asiento y no neteando epígrafes de balance.

  En línea con el ejemplo anterior, si en una cuenta de pérdidas y ganancias observamos un incremento en la partida de amortización y paralelamente vemos un incremento en el epígrafe del inmovilizado material del balance, intuitivamente llegamos a la conclusión de que se ha realizado una adquisición de activos, y si profundizásemos en los epígrafes a través de agrupación de sus cuentas y de los extractos o libros mayores de las mismas, llegaríamos al asiento de la adquisición. En cambio, si observamos el estado de flujos de efectivo, y vemos un incremento del epígrafe de acreedores y otras cuentas a cobrar, resulta difícil llegar a la misma conclusión, y mucho menos obtener el asiento que indujo ese incremento.

- A todo lo anterior, se añade la importancia de la obtención del *cash flow* para valorar u obtener información de cualquier negocio o proyecto a través de su actualización de flujos. La valoración por descuento de flujos, método aceptado internacionalmente, ha derivado en un indicador básico para la toma de decisiones. El *cash flow* no deja de ser una versión reestructurada, sesgada y que abarca varios periodos del estado de flujos de efectivo. Por lo tanto, queda claro que la información relativa a los flujos de efectivo es esencial no solo en la gestión del día a día de cualquier empresa, sino en la toma de decisiones de aceptación de proyectos y en la valoración de empresas.

- Desde el punto de vista técnico, los sistemas de información contable y de gestión de empresas, una vez digerida la reforma contable, poseen ya la madurez necesaria para la obtención de determinada información relativa al flujo de efectivo, pero dista considerablemente de la que los usuarios requieren y sobre todo en la facilidad de su obtención. Por tanto, existe una oportunidad para poder aportar información valiosa respecto al flujo de efectivo, y, por tanto, generar la misma información y con la misma facilidad que se genera respecto a los epígrafes del balance y de la Cuenta de Pérdidas y Ganancias. Su valor añadido aumentaría con creces.

- La gran mayoría de los sistemas de información de contabilidad permiten generar en cualquier momento un balance o una cuenta de pérdidas y ganancias, en cambio, generar el estado de flujos de efectivo de forma periódica (léase mensual, semanal, o por negocios, divisiones, etc.) ha sido una tarea ardua y a veces infructífera o no completa. Existe actualmente una necesidad real de conocer *on-line* el estado de flujos de efectivo y con la misma facilidad y nivel de detalle con que pueden obtenerse el balance y la cuenta de pérdidas y ganancias.

- Quizás hay que mirar con más osadía la contabilidad y romper con la estructura del hecho contable que llevamos utilizando en los últimos seis siglos. El debe y el haber son, han sido y seguirán siendo útiles como el origen primero de la información, tanto la normativizada como la facilitada por las herramientas de análisis, gestión, predicción y toma de decisiones, pero es necesario dar un paso más, que permita una información que comprenda y haga comprender el impacto de los flujos de efectivo que se generan en la empresa, al mismo nivel de detalle en que se determina el debe y el haber en las operaciones y transacciones de la empresa.

PLANTEAMIENTO DE LA CONTABILIDAD TRIANGULAR

Todas las reflexiones anteriores me llevaron a pensar que, quizás, la contabilidad y por extensión el libro diario, y particularmente el asiento, necesitarían de algo más para poder dar más información: en concreto, la relativa al movimiento de flujos de efectivo, que no caja, y de esta manera, por un lado, obtener información respecto a la evolución de los flujos de la empresa, necesaria para su supervivencia, y, por otro lado, poder realizar de forma directa el estado de flujos de efectivo, a la vez que se consigue una elaboración más precisa, mucha más información relevante y se plasma más fielmente el movimiento de los flujos.

La crisis de liquidez, la digestión de la reforma contable y la madurez de los sistemas de información contable han propiciado el caldo de cultivo adecuado para generar una contabilidad más completa y con más información. Es el momento para elevar la categorización de los movimientos de flujo de efectivo a la misma altura que los derechos y las obligaciones, que las inversiones y las financiaciones, en definitiva, que el debe y el haber.

Por tanto, para intentar llevar a cabo el cometido he desarrollado la **contabilidad triangular o de partida triple**. El presente trabajo, como ya se ha apuntado, no pretende ser una ruptura con la contabilidad ni con el sistema contable de partida doble, ni una forma distinta de contabilización, sino un punto y seguido: el objetivo es generar el embrión necesario para el desarrollo de una contabilidad más completa, con más información cualitativa a los usuarios de la misma, y demostrar que con un salto discreto se pueden avanzar grandes distancias.

El motivo de nombrarla de partida triple o triangular es, como puede intuirse, que en cada asiento del libro diario se pueda registrar el montante que afecta a los flujos de efectivo, de tal manera que puedan agruparse y elaborar el estado de flujos de efectivo. La idea general es simple: en el asiento existe una/s **cuenta/s en el debe, una/s cuenta/s en el haber, y una/s cuenta/s en el flujo**. Tres partidas.

En el asiento de la contabilidad triangular, aparte de la coordinación de las dos partes esenciales de un hecho contable: un origen o fuente de financiación, que se reflejaría en el haber, y un fin o inversión, que se reflejaría en el debe, se añade una **tercera parte: el movimiento de flujo de efectivo (que no caja).**

El hecho contable se define como todo acontecimiento económico-administrativo que repercute en el patrimonio de la empresa y que puede ser representado contablemente[10]. A esta definición, se le agrega la necesidad actual de conocer el efecto de dicho acontecimiento económico-administrativo sobre los movimientos de flujo de efectivo, entendidos como los recursos financieros que circulan por la empresa, y que no siempre se corresponden con un movimiento de tesorería o caja. Por tanto, todo hecho contable afectará directa o indirectamente a través de la cuenta de resultados, al flujo de efectivo (aunque su efecto neto pueda ser nulo) y en consecuencia al estado de flujos de efectivo. Todo acontecimiento económico-administrativo conlleva un movimiento de recursos financieros a través del trasvase de fondos entre unas cuentas y otras. Por tanto, parece obvia la necesidad de que en el asiento contable pudiera reflejarse tal circunstancia. Dicho propósito es la razón de ser de la contabilidad triangular.

Para una comprensión más intuitiva y práctica podemos seguir el siguiente ejemplo:

Imaginemos una empresa que se dedica a la intermediación comercial, inicia su andadura con una aportación al capital social de 10.000,00 unidades monetarias (u.m.) totalmente desembolsadas, y justamente llega el cierre de ejercicio, registrando dicho cierre con solo ese hecho contable. Al ejercicio siguiente, la primera operación llevada a cabo por el propietario es la contratación de una campaña comercial para dar a conocer su negocio, con un coste de 7.000,00 u.m. que le financia la propia agencia publicitaria que le realiza los servicios. Si realizamos en este momento una foto de la situación de la empresa tendremos:

---

[10] Álvarez López, J. (1991) *Introducción a la Contabilidad.* Ed. Donostiarra. San Sebastián. 18.ª edición

Movimiento de tesorería: Durante el ejercicio no se ha producido ningún movimiento de tesorería (las 10.000,00 u.m. corresponden al ejercicio anterior).

Movimiento de flujo de efectivo: Se produce un incremento del flujo de efectivo en 7.000,00 u.m. por la financiación obtenida del acreedor. El aplazamiento de pago nos supone poder disfrutar de una financiación de 7.000,00 u.m. hasta la fecha pactada para el pago de la deuda.

Como puede verse, la diferencia entre el movimiento de flujo de efectivo y el de tesorería se distingue claramente. En las situaciones reales de empresa, como bien supone el lector, la complejidad y volumen de las operaciones dificultan esta distinción tan clara entre flujo de efectivo y movimiento en tesorería.

Siguiendo con el ejemplo, el hecho contable registra, por un lado, el gasto de explotación y, por otro, la deuda contraída con el proveedor, pero no registra el movimiento del flujo de efectivo.

En una primera impresión, quizás no es necesario construir el estado de flujos de efectivo, ya que no se ha producido movimiento en la tesorería, y, por tanto, como el estado de flujos de efectivo debe cuadrar con el movimiento de tesorería, podría prescindirse de su información. Pero si construimos el estado de flujos de efectivo, tenemos que:

Por un lado, los resultados negativos de 7.000,00 u.m. por el gasto en publicidad, y que se reflejan dentro de los flujos de las actividades de explotación dentro del epígrafe 1. Resultados del ejercicio antes de impuestos.

Y, por otro lado, reflejamos el incremento del flujo de financiación a través del epígrafe 3.Cambios de capital corriente, con 7.000,00 u.m. en positivo en la partida de acreedores a pagar.

La suma de ambos da como resultado el total obtenido de flujos de efectivo (0,00), que cuadra con el movimiento de tesorería o equivalentes de efectivo que se ha producido en el periodo, quedando el estado de flujos de efectivo de la siguiente manera (se han obviado las partidas del estado que no tenían movimiento):

Estado de flujos de efectivo	u.m.
A) Flujos de efectivo DE LAS ACTIVIDADES DE EXPLOTACIÓN	
1. Resultado del ejercicio antes de impuestos.	**−7.000,00**
3. Cambios en el capital corriente.	
d) Acreedores y otras cuentas a pagar (+/−).	+7.000,00
5. Flujos de efectivo de las actividades de explotación	**0,00**
B) Flujos de efectivo DE LAS ACTIVIDADES DE INVERSIÓN	
C) Flujos de efectivo DE LAS ACTIVIDADES DE FINANCIACIÓN	
D) Efecto de las variaciones de los tipos de cambio	
E) AUMENTO/DISMINUCIÓN NETA DEL EFECTIVO O EQUIVALENTES	**0,00**
Efectivo o equivalentes al comienzo del ejercicio.	**0,00**
Efectivo o equivalentes al final del ejercicio.	**0,00**

Como puede apreciarse, sí que se ha producido un movimiento de flujos de efectivo, se ha producido un cambio en el capital corriente: ha aumentado el flujo de efectivo gracias al aplazamiento de pago facilitado por la compañía publicitaria. Por tanto, hay trasvase de fondos a través de la compañía, aunque el estado de flujos de efectivo presente un saldo cero porque se incorpora el resultado del periodo.

Realicemos el ejercicio de construir un sucedáneo del estado de flujos de efectivo, que no recogiera el resultado antes de impuestos y que tampoco tuviera que cuadrar con el movimiento de tesorería del momento, y de esta forma centrarnos en la parte sustancial del estado de flujos de efectivo. La situación sería la siguiente:

Estado de flujos de efectivo (Sucedáneo)	u.m.
A) Flujos de efectivo DE LAS ACTIVIDADES DE EXPLOTACIÓN	
3. Cambios en el capital corriente.	
d) Acreedores y otras cuentas a pagar (+/−).	+7.000,00
5. Flujos de efectivo de las actividades de explotación	**7.000,00**
B) Flujos de efectivo DE LAS ACTIVIDADES DE INVERSIÓN	
C) Flujos de efectivo DE LAS ACTIVIDADES DE FINANCIACIÓN	
D) Efecto de las variaciones de los tipos de cambio	
E) AUMENTO/DISMINUCIÓN FLUJO DE EFECTIVO	**7.000,00**

El estado de flujos de efectivo presenta 7.000,00 u.m., en positivo, ya que representan un incremento de los flujos. Como se aprecia, las actividades de explotación han generado 7.000,00 u.m. de flujo de efectivo

Por otro lado, la cuenta de resultados sigue presentando unas pérdidas de −7.000,00 u.m., y la caja no presenta variación. Por tanto, no existe variación en tesorería y sí una variación en los flujos de efectivo de las actividades de explotación.

Imaginemos ahora que la empresa consigue una financiación a largo plazo de una entidad financiera por 7.000,00 u.m. y con dicho montante, llegado el vencimiento de la deuda con el acreedor de la campaña comercial, realiza el pago. La situación de la empresa ahora será:

Movimiento de tesorería: Durante el ejercicio no ha variado el saldo de tesorería: las 10.000,00 u.m. corresponden al ejercicio anterior, 7.000,00 u.m. de entrada por la obtención del préstamo y 7.000,00 por el pago de la deuda por la campaña de publicidad. Por tanto, el total del movimiento de tesorería producido en el periodo es cero:

Saldo inicial tesorería: 10.000,00 u.m.
Entrada: +7.000,00 u.m.
Salida: −7.000,00 u.m.
Saldo final tesorería: 10.000,00 u.m.

Movimiento del periodo de tesorería = 0

Movimiento de flujo de efectivo: Se produce un incremento del flujo de efectivo en 7.000,00 u.m. por el préstamo obtenido de la entidad financiera y un decremento del flujo por el pago de la deuda, es decir, por dejar de tener la financiación de la compañía publicitaria. Por lo tanto, ha habido un movimiento de fondos, que en valor absoluto es neutro, pero que a nivel de flujos resulta relevante.

Si construimos el sucedáneo del estado de flujos de efectivo tendremos:

Estado de flujos de efectivo (Sucedáneo)	u.m.
A) Flujos de efectivo DE LAS ACTIVIDADES DE EXPLOTACIÓN	
3. Cambios en el capital corriente.	
d) Acreedores y otras cuentas a pagar (+/–).	+0,00
5. Flujos de efectivo de las actividades de explotación	0,00
B) Flujos de efectivo DE LAS ACTIVIDADES DE INVERSIÓN	
C) Flujos de efectivo DE LAS ACTIVIDADES DE FINANCIACIÓN	7.000,00
10.Cobros y pagos por instrumentos de pasivo financiero	
a)Emisión	
2.Deudas con entidades de Crédito (+)	7.000,00
D) Efecto de las variaciones de los tipos de cambio	
E) AUMENTO/DISMINUCIÓN FLUJO DE EFECTIVO	7.000,00

Movimiento de flujo de 7.000,00 u.m.

La foto que presenta es distinta a la anterior, al considerarse la deuda de la entidad de crédito como una actividad de financiación no vinculada a la actividad de explotación, y, por tanto, esta se registra dentro de los flujos de efectivo de las actividades de financiación. Por otro lado, se produce una salida de fondos de los acreedores, es decir, una disminución de los flujos de efectivo de las actividades de explotación.

Por tanto, mientras que el pasivo de la empresa es el mismo: 7.000,00 u.m. de deuda ajena (aunque no su estructura) y los resultados continúan presentando las –7.000,00 u.m. de pérdidas, la categorización de los importes reflejados en el estado de flujos de efectivo ha variado, es decir, se han producido movimientos de flujo de efectivo.

La información que reflejan los dos sucedáneos de Estados de Flujo de Efectivo es distinta, y, por tanto, el análisis que pudiera realizarse sobre el mismo, sin conocer el origen de las operaciones, sería distinto, pero, en cambio, el fondo de la operación, que no la forma, es el mismo: la empresa se ha financiado para la campaña publicitaria.

Visto todo lo anterior, quizás la mejor solución sería poder registrar asiento a asiento el montante que afecta al flujo de efectivo, de tal forma que obtuviéramos a nivel de hecho contable la información relativa al movimiento de flujos de efectivo, y esta fuera clasificada y categorizada en función de la naturaleza del hecho contable.

En la contabilidad de partida doble, el hecho contable se representa esquemáticamente de la siguiente forma (figura 1):

Figura 1: Contabilidad de partida doble

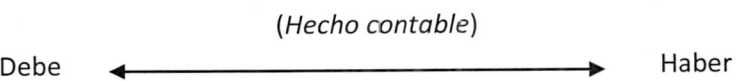

(*Hecho contable*)

Debe ⟵————————————————⟶ Haber

El hecho contable se divide en dos grupos, por un lado, la inversión, el destino, los aumentos de activo, las pérdidas y los gastos, que se reflejan en el debe, y, por otro lado, la financiación, el origen, los aumentos de pasivo y del patrimonio neto, los beneficios y los ingresos que se reflejan en el haber.

En la figura 2 siguiente se recoge de forma esquemática la contabilidad triangular o de partida triple:

Figura 2: Contabilidad triangular (o de partida triple)

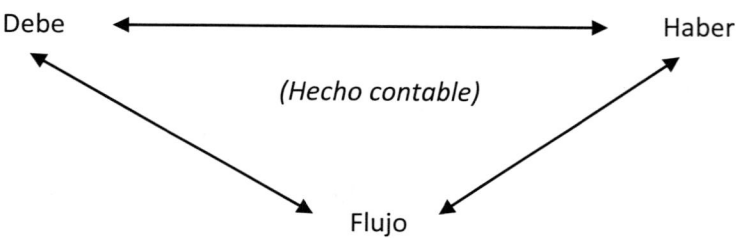

En este caso, en la definición del hecho contable se toma consciencia de un tercer grupo: el flujo de efectivo, el movimiento de fondos, los flujos financieros. Existe una tercera partida que representa y valora el importe que afecta a los movimientos de flujos de fondos, y que en último término tendrá su reflejo en el estado de flujos de efectivo.

Para tener en mente la visualización del hecho contable triangular, partimos de la esquematización tradicional de los hechos contables en la contabilidad de partida doble, es decir, el registro del asiento propiamente dicho (aunque resulte obvia su descripción gráfica para el lector): las cuentas que presentan un movimiento en el debe se registran en la parte izquierda del asiento, y las cuentas que presentan un movimiento en el haber se registran en la parte derecha del mismo.

Trasladando dicha esquematización a la contabilidad triangular: el movimiento del debe se registra igualmente en la derecha, el haber en la izquierda, y la partida del flujo de efectivo, es decir, el movimiento de las cuentas de flujo de efectivo, se incorpora en la parte central inferior del asiento, por tanto, tendrá un aspecto triangular.

Seguidamente se muestra un ejemplo gráfico de asiento diario tipo de contabilidad triangular.

Ejemplo de asiento triangular (figura 3):

Debe		*Fecha asiento*		*Haber*
u.m.	**Cuentas de debe**		**Cuentas de haber**	u.m.

a

Cuentas de Flujo

u.m.

Flujo

u.m. = unidades monetarias

Ahora mismo, la primera pregunta que seguramente aborda el pensamiento del lector es: ¿cómo cuadra este asiento? La respuesta se desarrolla en un capítulo posterior, en cuanto se hayan definido las cuentas de flujo, su estructura y su registro. (Lo que sí se avanza es que el asiento contable triangular, al igual que en contabilidad de partida doble, cuadra).

Es necesario resaltar, como se irá apreciando a lo largo del libro, que la incorporación de las cuenta/s de flujos de efectivo no afecta al asiento diario de partida doble, por tanto, no lo distorsionan ni en cuanto a su naturaleza, ni a la valoración de sus importes y registros, ni a los cuatro principios básicos de la contabilidad de partida doble[11].

El primero de los cuatro principios básicos de la contabilidad de partida doble estipula que en todo hecho contable siempre hay un deudor (o deudores) por el importe de la operación, y un acreedor (o acreedores) de la misma cantidad. Este mismo principio se mantiene intacto en la contabilidad triangular, pero añadiendo, además, que hay un movimiento de flujo de fondos implícito en el hecho. Por tanto, tal como enuncia Álvarez López, J. (1998), que resume el principio como: "NO HAY DEUDOR SIN ACREEDOR", para la contabilidad triangular este mismo principio es:

"NO HAY DEUDOR SIN ACREEDOR NI MOVIMIENTO DE FLUJO".

---

[11] Álvarez López, J. (1991) *Introducción a la Contabilidad*. Ed. Donostiarra. San Sebastián. 18.ª edición.

El segundo de los principios básicos conviene que, en toda operación contabilizable, es deudor el elemento patrimonial que recibe, y es acreedor el que entrega. La contabilidad triangular no hace más que completar el principio de "EL QUE RECIBE, DEBE, EL QUE ENTREGA, ACREDITA", sin distorsionarlo en absoluto. Es obvio que en toda entrega o en toda recepción existe algo que se entrega o se recibe, y el canal a través del cual se produce este intercambio es el movimiento de flujos. Por tanto, el resumen de este segundo principio se puede enunciar como sigue:

"EL QUE RECIBE, DEBE, EL QUE ENTREGA, ACREDITA, Y LA ENTREGA Y LA RECEPCIÓN MUEVEN FLUJOS".

El tercer y cuarto principios, que plantean que la suma del valor adeudado del hecho contable o del total acumulado (DEBE) es igual a la suma del valor acreditado o abonado del hecho contable o del total acumulado (HABER), tampoco es alterado por la contabilidad triangular. Estos dos principios son desarrollados específicamente más adelante.

Una vez visto el planteamiento de la contabilidad triangular, es necesario conocer los objetivos que se persiguen:

En primer lugar y por extensión, los mismos objetivos que la contabilidad de partida doble, que cumple sin ningún truncamiento, que de forma general pueden definirse como la capacidad para generar y suministrar de información relevante a los distintos usuarios de la misma.

De igual modo, la contabilidad triangular cumple eficazmente con los requisitos para garantizar la utilidad de la información contable, definidos por la Asociación Española de Contabilidad y Administración de Empresas[12], a saber: Identificabilidad, Oportunidad, Claridad, Relevancia, Razonabilidad, Economicidad, Imparcialidad, Objetividad y Verificabilidad.

Destacan especialmente tres requisitos, en donde la contabilidad triangular aporta un mayor valor añadido:

-La relevancia, que exige a la información contable una utilidad notoria para los fines de los usuarios, y completa, para el conocimiento suficiente del

---

[12] www.aeca.es: Asociación Española de Contabilidad y Administración de Empresas. Comisión de Principios Contables.

patrimonio de la empresa y de los resultados obtenidos. La contabilidad triangular no hace más que reforzar la relevancia al incorporar información útil y sobre todo completa acerca del movimiento de los flujos financieros que se han producido en la empresa, una perspectiva más de la empresa.

-**Economicidad**, definida como la relación coste/beneficio de la elaboración de la información contable. Con la contabilidad triangular se obtiene una mayor utilidad de la información contable, es decir, beneficio, y el coste de asumir dicha contabilidad y proporcionar información, tanto a nivel técnico como formativo, resulta paradójicamente bajo. Por otro lado, se reduce notablemente el tiempo necesario para elaborar el estado de flujos de efectivo, al poderse elaborar directamente desde cuentas de flujo.

-**Verificabilidad**, que requiere que la información contenida en los estados financieros sea susceptible de control y revisión, interna y externa. La contabilidad triangular dota de información transparente y directa al estado de flujos de efectivo, por lo que facilita, agiliza y consecuentemente mejora, el control y la revisión del mismo, hasta el nivel de poder llegar al detalle del movimiento, al detalle del asiento, en definitiva, al hecho contable que originó dicho movimiento de flujo.

Y, en segundo lugar, y específicamente, la contabilidad triangular tiene también los siguientes objetivos, algunos ya mencionados en el desarrollo del capítulo anterior:

- Elaborar directamente el estado de flujos de efectivo, y con mucha más precisión. El estado de flujos de efectivo se elabora desde una nueva perspectiva, partiendo del asiento contable, e igualándose a la agilidad y facilidad de elaboración del resto de estados financieros normales: el balance, la Cuenta de Pérdidas y Ganancias, y el Estado de Cambios en patrimonio neto.

- Registrar los movimientos de flujo que se producen en los hechos contables, permitiendo el acceso a la información de los movimientos de flujo generada por la empresa, a la vez que se ordenan temporal y estructuralmente.

- Obtener más información de los movimientos, origen y destino, de los flujos de fondos, tanto a nivel de desglose como a nivel de evolución histórica, y permitiéndose la comparabilidad temporal.

- Mejorar la información que emana del estado de flujos de efectivo, al separar conceptos más acuradamente de inversión/explotación/financiación, que de manera global no sería posible separar.

- Dotar de homogeneidad y transparencia al proceso de elaboración del estado de flujos de efectivo a través de un sistema de contabilización de los flujos.

- Permitir su uso e implantación de forma opcional: al tratarse de un agregado a la contabilidad actual supone un añadido a los sistemas contables, pudiéndose prescindir del mismo si no se quisiera utilizar.

- Y, por último, sembrar la semilla y la inquietud para posteriores desarrollos, que seguro que se generan y que aportaran más utilidad a la información contable, nuevos indicadores de gestión, nuevos ratios, nuevos desarrollos en los sistemas de información contable, etc.

EL PROCESO DE LA CONTABILIDAD TRIANGULAR

El proceso contable básico de la contabilidad triangular es exactamente igual que el de la contabilidad de partida doble. El proceso en la contabilidad de partida doble, según Álvarez López, J. (1998), se define como aquellas actividades que se llevan a cabo en la contabilidad para la obtención de la información contable y la comunicación a los diferentes usuarios, y se divide en cuatro etapas. En la obtención de la información contable de la contabilidad triangular se sigue igualmente este mismo proceso y con las mismas etapas, pero añadiendo determinados aspectos que se describen en las respectivas fases, desglosadas a continuación:

Elaboración de la información

La primera etapa se compone de cuatro fases o subetapas, iniciándose en el acontecimiento del hecho contable, donde debe identificarse, evaluar y analizar el mismo, para luego proceder a su registro mediante el asiento en el libro diario.

En la primera fase o subetapa de análisis e identificación es donde debe discernirse el tipo de partida o partidas de flujo de efectivo afectadas por el hecho contable, al igual que se analiza a qué partida afectan del patrimonio y/o de los resultados. Aquí se reconocerá e interpretará el movimiento del flujo de efectivo, junto con el movimiento deudor y el acreedor, y se valorará en unidades monetarias. Por tanto, la diferencia respecto de la primera fase en la contabilidad de partida doble es identificar y valorar el movimiento de flujo dentro del hecho contable.

En la segunda fase de la etapa de la elaboración de la información contable, es donde se produce el reflejo contable de los hechos cronológicamente ordenados, es decir, el registro de los asientos en el libro diario: el asiento. En la contabilidad triangular, se registrará en el asiento, además de la cuenta deudora y la acreedora, la cuenta o cuentas de flujo afectadas por la transacción contable. Por tanto, la diferencia respecto a la segunda fase según la contabilidad de partida doble es que se añade una tercera partida al asiento contable, la partida de movimiento de flujo.

El siguiente punto o subetapa del proceso de elaboración es la clasificación sistemática y ordenación de las cuentas en el libro mayor, ya sean de patrimonio o de flujo, obteniendo de cada una de ellas su saldo resultante: debe o haber, para las cuentas de patrimonio, y positivo o negativo para las cuentas de flujos[13]. Esta fase es básicamente la agrupación y agregación de los movimientos deudores, acreedores y de flujos en sus respectivas cuentas. Por tanto, en esta tercera fase, al igual que en la contabilidad de partida doble ocurre con las cuentas contables, se agruparán y ordenarán los movimientos de flujo de las cuentas de flujo en sus respectivos libros mayores.

La última y cuarta fase de la etapa de elaboración de la información contable es la obtención de los estados contables, es decir, la síntesis de los hechos contables, que normalmente se realiza con carácter periódico. En esta fase, en la contabilidad de partida doble, el balance, la Cuenta de Resultados y el Estado de ingresos y Gastos Reconocidos se obtienen directamente por agregación y agrupación de los saldos de las diferentes cuentas, en las distintas partidas y epígrafes de los estados mencionados. En la contabilidad triangular, y por agregación y agrupación de las cuentas de flujo, también se obtiene directamente el estado de flujos de efectivo.

Verificación y auditoría de los estados contables

La segunda etapa del proceso contable trata de verificar y revisar la información que suministra la contabilidad, de tal forma que esta presente fielmente la realidad económica y financiera de la empresa. La auditoría interna y la externa, entre otras muchas verificaciones, controles y pruebas de razonabilidad, puede realizar la trazabilidad de un hecho contable hasta su reflejo en el estado financiero, gracias a la agrupación, ordenación y agregación de las cuentas para la elaboración de los distintos estados. La contabilidad triangular, al realizar el mismo procedimiento para la elaboración directa del estado de flujos de efectivo a través de las cuentas de flujo, permite una verificación, control y auditoría del estado más profunda y con más detalle que si no existiesen las mismas, permitiendo a los auditores

---

[13] En el siguiente capítulo se desarrolla la esquematización de las cuentas de flujo.

escrutar información detallada de las diferentes partidas del estado de flujos de efectivo, llegando al hecho contable que lo provocó.

Aparte de la ventaja que supone la contabilidad triangular para la función de auditoría, para la función de *controller* supone un gran valor añadido poder obtener información tan detallada sobre el movimiento de flujos de la empresa, llegando a determinar qué ponderación representa respecto al flujo de efectivo de la empresa el que viene provocado por un determinado cliente, o una determinada financiación, una política de ventas, etc. A modo de ejemplo, de la misma forma que en el balance puede determinarse qué peso porcentual, sobre el total de circulante, representa el crédito o el aplazamiento de pago de un determinado cliente, simplemente ponderando el saldo de la cuenta del cliente respecto al total de activo corriente, en la contabilidad triangular puede determinarse, con la misma facilidad que en el balance, qué peso aporta o sustrae un determinado cliente respecto al total del flujo generado por las actividades de explotación, y, además, y también de gran utilidad, su evolución histórica.

Análisis e interpretación de los estados contables

La información contable, aparte de permitir comprobar su veracidad, debe permitir su análisis e interpretación por parte de los usuarios de la misma, por tanto, la tercera etapa se centra en su interpretación, para que facilite la toma de decisiones.

Actualmente es obvio, y queda fuera del pretexto de este libro, mencionar cualquier aspecto relacionado con la interpretación de los estados financieros y su valor añadido en la toma de decisiones.

En esta tercera etapa y gracias a la contabilidad triangular, a la pregunta típica de cualquier gestor ante un determinado escenario de: *¿Cómo ha afectado esta decisión/ transacción a la cuenta de resultados y al balance?*, puede añadirse: *¿Cómo ha afectado esta decisión/transacción al flujo de efectivo de la empresa, o al estado de flujos de efectivo?* La contabilidad triangular facilita y agiliza el análisis del estado de flujos de efectivo, aportando, sin duda alguna, más valor añadido al proceso de interpretación de la información contable que contiene dicho estado.

Comunicación de la información contable

Al proceso contable de obtención de información, tras la elaboración, verificación e interpretación solo le queda la cuarta y última etapa: la comunicación a los diferentes usuarios. En esta etapa la contabilidad triangular no se diferencia respecto al proceso de comunicación de la contabilidad de partida doble.

Seguidamente se expone a nivel comparativo la esquematización del proceso contable de la partida doble (figura 4) y de la contabilidad de partida triple (figura 5) para su mejor comprensión y comparación.

En la representación gráfica se han identificado las dos primeras etapas del proceso contable de obtención de información. La primera etapa, la elaboración de la información contable, se esquematiza de forma horizontal en la parte superior del gráfico y está dividida en las cuatro fases o etapas que la componen, iniciándose en la primera fase o subetapa del hecho contable, y avanzando hacia la derecha del esquema, hasta la cuarta fase en donde se sintetizan los estados.

Dentro de esta primera etapa es donde se elaboran directamente los estados financieros, y así se representa gráficamente a través de flechas con puntos discontinuos, que se originan en el libro mayor y terminan en los respectivos estados financieros.

La segunda etapa de verificación, control y auditoría se representa en la parte inferior del esquema con una línea discontinua, y abarca la totalidad de todo el proceso de elaboración de la información contable de la primera etapa, pudiendo verificar o auditar cualquiera de las cuatro fases o subetapas de que se compone.

Figura 4: PROCESO OBTENCIÓN INFORMACIÓN CONTABLE: CONTABILIDAD PARTIDA DOBLE

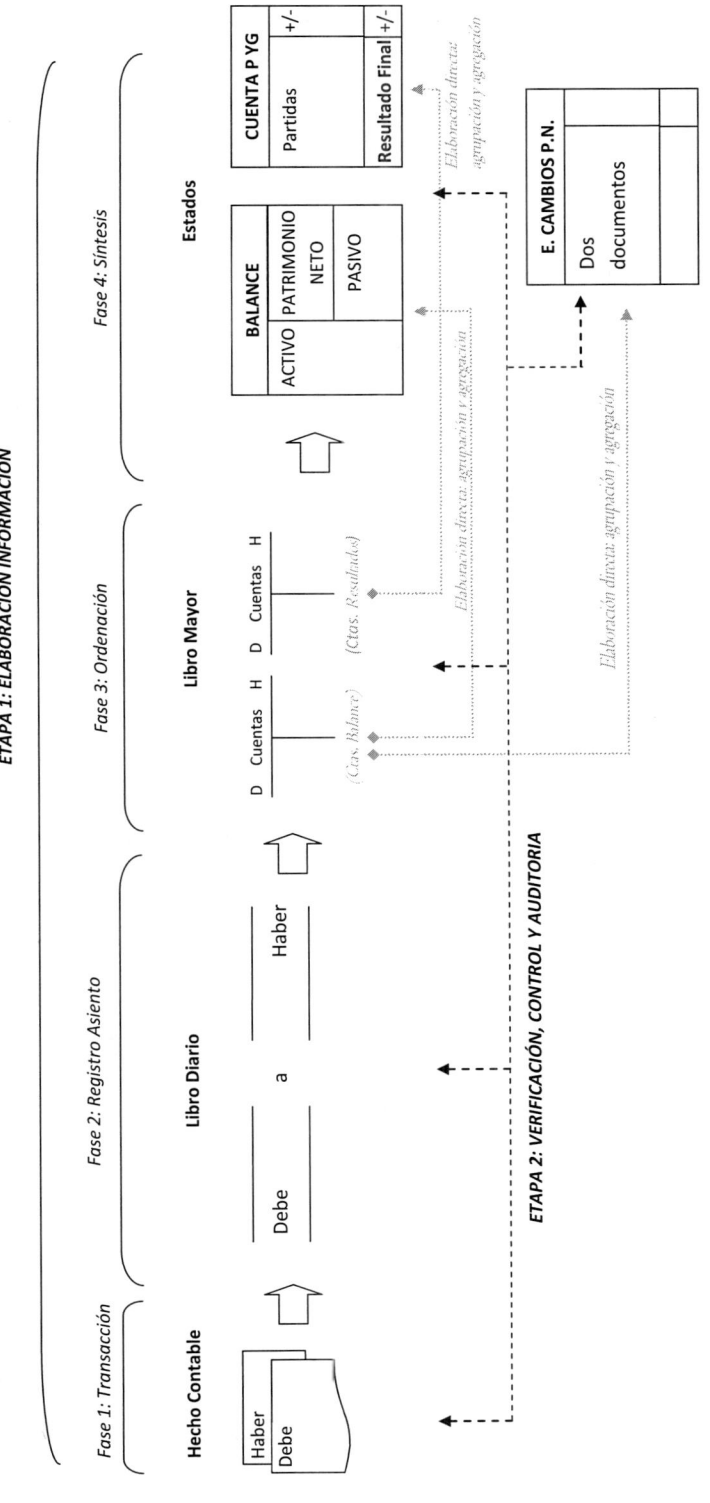

Figura 5: PROCESO OBTENCIÓN INFORMACIÓN CONTABLE: CONTABILIDAD TRIANGULAR

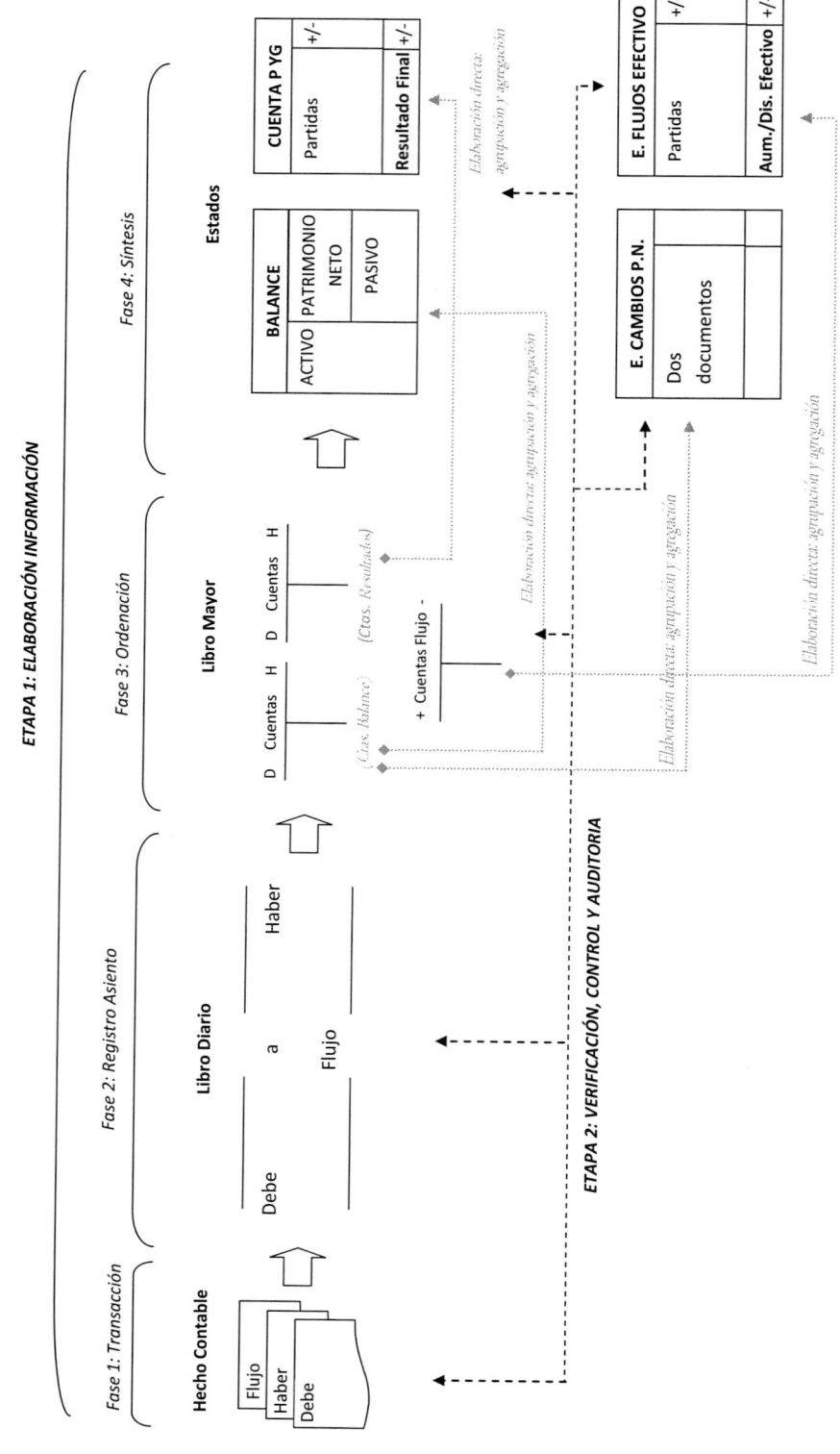

Como puede apreciarse gráficamente, la diferencia del proceso de obtención de información contable de la contabilidad triangular, respecto a la de partida doble, se observa en todas las fases de la primera etapa de elaboración de información contable:

- En la primera subetapa o fase, aparece la identificación del movimiento de flujo de efectivo dentro del hecho contable.

- En la segunda fase relativa al registro del asiento, este ya es triangular, es decir, se compone de tres partidas, las cuentas de debe, las cuentas de haber, y las cuentas de flujo.

- En la tercera subetapa, y por ordenación y agrupación de los cuentas de flujo, se obtiene el libro mayor de las mismas.

- Y, por último, en la cuarta fase de elaboración de los estados, puede apreciarse como el estado de flujos de efectivo se elaborará directamente por agregación y agrupación de los saldos de las cuentas de flujo.

LA CUENTA DE FLUJO

Tal como se ha mencionado anteriormente, el asiento en la contabilidad triangular se compone de tres partes: la de debe, la de haber y la de flujo. La partida de flujo está formada por las **cuentas de flujo**, y estas se desarrollan en una estructuración por grupos, epígrafes y partidas, y unos principios básicos de aplicación y codificación. Además, también existe un cuadre o control de cuadre que permitirá saber que los asientos realizados en las cuentas de flujo están cuadrados con respecto al asiento registrado.

Las cuentas de flujo cumplen estrictamente con las mismas principales funciones que cumplen las cuentas del balance y de resultados, a saber: la función clasificativa, la función histórica, la función numérica, la función de representación y la función de previsión[14]. Por tanto, y de forma intuitiva, se puede apreciar que el funcionamiento y la codificación de las mismas será muy similar, por no decir casi idéntico, a las cuentas de balance y de resultados.

Función clasificativa: Se trata de la asignación de una cuenta de flujo, de acuerdo con unos criterios, a cada uno de los movimientos de flujo producidos en los hechos contables, con lo que se consigue reunir y desglosar todos los hechos contables dentro de las cuentas de flujo. Una segunda clasificación se consigue dentro de cada cuenta, ya que los hechos contables se vuelven a clasificar siguiendo un criterio dicotómico, es decir, por un lado, los que implican un movimiento de incremento, y, en el lado opuesto, los que representan una disminución[15]. La diferencia de las cuentas de flujo respecto a las cuentas patrimoniales o de resultados es que el desglose dicotómico de sus movimientos será: positivo (que se equipara al debe de una cuenta

---

[14] Álvarez López, J. (1991) *Introducción a la Contabilidad*. Ed. Donostiarra. San Sebastián. 18.ª edición.

[15] El criterio dicotómico también se realiza exactamente igual en las cuentas patrimoniales o de resultados, donde los movimientos de incrementos de saldos se representan en un lado (que varía en función de si se trata de una cuenta de activo o pasivo) y en el lado opuesto, los decrementos.

patrimonial de activo) y recogerá los incrementos o variaciones positivas de los movimientos de flujo, y negativo (que se equipara al haber de una cuenta patrimonial de activo) y recogerá los decrementos o variaciones negativas de los movimientos de flujo de efectivo. La estructura de las cuentas de flujo, al igual que las de patrimonio, se divide en dos partes esenciales, que podrían denominarse DEBE y HABER, pero para una mejor comprensión del movimiento de flujo, se denominarán POSITIVO (+), haciendo referencia a los incrementos o variaciones positivas del movimiento de flujos, y NEGATIVO (–), en relación con los decrementos o variaciones negativas de los movimientos de flujo. Gráficamente las cuentas de flujo se representan con la clásica T, correspondiendo la parte izquierda a POSITIVO y la parte derecha al NEGATIVO. Gran parte de los sistemas de información contable muestran los saldos deudores en positivo y los saldos acreedores en negativo, por lo que no resulta ajeno a muchos lectores o profesionales de la contabilidad hablar de saldo positivo o saldo negativo.

La representación esquemática será:

Cuentas de activo

Debe	Haber
Incrementos	*Decrementos*
Variaciones positivas	*Variaciones negativas*

Cuentas de pasivo o patrimonio neto

Debe	Haber
Decrementos	*Incrementos*
Variaciones negativas	*Variaciones positivas*

Cuentas de Flujo

Positivo (+)	Negativo (–)
Incrementos	*Decrementos*
Variaciones positivas	*Variaciones negativas*

Función histórica: En el registro de las cuentas de flujo, al igual que en las cuentas patrimoniales o de resultados, también queda constancia de la fecha del asiento, pudiéndose obtener la evolución cronológica de la cuenta de flujo o acotar periodos determinados.

Función numérica: La cuenta de flujo recogerá el valor atribuido a cada hecho contable como movimiento de flujo, es decir, el importe por el que se registrará el hecho contable.

Por tanto, como las cuentas de flujo cumplen con las tres funciones anteriores, fácilmente se intuye que podrá elaborarse un extracto de movimientos idéntico al libro mayor de cualquier cuenta del patrimonio o de resultados, por lo que también puede denominarse libro mayor de la cuenta de flujo.

Función de representación: La cuenta de flujo, considerada aisladamente, ofrece la representación de un determinado elemento del movimiento de flujo, y cuya propia nominación de la cuenta le hace referencia, tal y como ocurre en las cuentas patrimoniales. El conjunto de las cuentas de flujo deriva en el estado de flujos de efectivo.

Función de previsión: La cuenta de flujo, exactamente igual que las cuentas de patrimonio o de resultados, nos facilita la evolución histórica de un elemento o partida (si se agrupan diversas cuentas) del estado de flujos de efectivo, por lo tanto, puede tomarse como un indicador de la tendencia y/o evolución para obtener previsiones basadas en los hechos actuales.

Las leyes de funcionamiento de las cuentas de flujo también son exactamente iguales que las relativas a las cuentas de balance o de resultados:

- *Ley de desglose:* Toda cuenta de flujo puede desglosarse en varias cuentas, conservando estas las mismas características que la cuenta original. Por ejemplo, la cuenta de movimiento de flujos de clientes puede desglosarse en: cuenta movimiento flujo cliente X, cuenta movimiento de flujo cliente Y, etc. También pueden desglosarse a más detalle las cuentas desdobladas: cuenta movimiento de flujo cliente X moneda USD, cuenta movimiento de flujo cliente X moneda EUR, etc.

- *Ley de integración:* Es exactamente el proceso inverso de la ley anterior, posibilitando al agrupación de varias cuentas de movimientos de flujo en una más general.

Estas dos leyes anteriores son básicas, ya que permitirán construir de una forma directa por agregación y agrupación de las cuentas de flujo el estado de flujos de efectivo, y corroboran la exposición respecto a la información que puede extraerse de los estados que se realizó en el capítulo primero.

- *Ley de eliminación:* Cuando en una misma cuenta de flujo un hecho contable le afecta por igual y por el mismo importe, tanto el incremento como el decremento, puede omitirse su registro.

- *Ley de conexión*: En la contabilidad triangular, de la misma forma que ocurre en la contabilidad de partida doble, cualquier cuenta de flujo puede coordinarse de un forma natural con las otras cuentas del asiento, ya sean patrimoniales o de resultados, es decir, que existen hechos contables que de una manera genérica y corriente afectan a determinadas cuentas de flujo, al igual que afectan a determinadas cuentas de patrimonio o de resultados, aunque también pueden existir conexiones excepcionales o poco corrientes.

Estructuración de la cuenta de flujo

La codificación o numeración de las cuentas de flujo tiene su origen en las partidas en que se compone el estado de flujos de efectivo. Es el mismo tipo de estructuración que se usa para las cuentas contables, tanto del balance como de la cuenta de resultados, partiendo de las partidas/epígrafes en que se componen los diferentes estados. Por tanto, considerada aisladamente, la cuenta de flujo ofrece la representación de una partida del estado de flujos de efectivo.

El estado de flujos de efectivo se compone de **5 grupos**, precedidos de una letra mayúsculas, que están desglosados por **epígrafes** (precedidos de un número árabe), y estos desglosados en **partidas**, precedidas de una letra minúscula. En el anexo I puede verse el modelo del estado de flujos de efectivo, publicado en el Real Decreto 1514/2007, de 16 de noviembre, por el que se aprueba el Plan General de Contabilidad.

La codificación mínima de la cuenta de flujo será de 4 dígitos (5 posiciones), y de forma directa identificará los grupos, epígrafes y partidas, siguiendo este orden, del estado de flujos de efectivo. Al igual que ocurre con las cuentas patrimoniales o de resultados, en la práctica contable y atendiendo a la ley de desglose, es preferible que el número de dígitos de las cuentas sea mayor que la codificación mínima, para poder tener un mejor desglose y detalle de los diferentes conceptos, pero este aspecto es a criterio del usuario/contable.

El primer dígito de la cuenta de flujo estará formado por una letra mayúscula e identificará **los 4 grupos principales**[16] que componen el estado de flujos de efectivo. Los cuatro grupos principales son:

A) Flujos de efectivo de las actividades de explotación
B) Flujos de efectivo de las actividades de inversión
C) Flujos de efectivo de las actividades de financiación
D) Efecto de las variaciones de los tipos de cambio

Por tanto, el primer dígito de la cuenta de flujo será A, B, C o D.

El segundo dígito de la cuenta de flujo identificará al concepto del flujo (se trata del segundo nivel de desglose del estado de flujos de efectivo: **los epígrafes** dentro de los grupos, precedidos de un número árabe), y estará formado por dos posiciones, ya que su rango es de 2 a 11. Cuando en un determinado grupo no exista este nivel, se codificará con cero.

En el siguiente ejemplo se muestra el proceso de codificación para los epígrafes del grupo A) de flujos de efectivo de las actividades de explotación:

Estado de flujos de efectivo	**Cuenta de Flujo**

**A) Flujos de efectivo DE LAS ACTIVIDADES
DE EXPLOTACIÓN**

1. Resultado del ejercicio antes de impuestos.	A01
2. Ajustes del resultado.	A02
3. Cambios en el capital corriente.	A03
5. Flujos de efectivo de las actividades de explotación (+/–1+/–2+/–3+/–4)	

Por tanto, el segundo digito será un número del 2 al 11[17].

El tercer dígito identificará el tercer nivel de desglose del estado de flujos de efectivo: **las partidas** (precedidas de una letra minúscula) y si no existe tal nivel, se codificará con cero. Por tanto, el tercer dígito será una letra minúscula correspondiente al desglose del tercer nivel.

---

[16] El quinto grupo, la letra E), se omite porque es el resultado de la suma de diversos epígrafes del estado de flujos de efectivo.

[17] El epígrafe *1.Resultado del ejercicio antes de impuestos* no se considera, ya que en él se refleja el saldo final de la cuenta de resultados, por tanto, es un dato directo.

En el siguiente ejemplo se muestra el proceso de codificación para las partidas que componen el epígrafe 3.Cambios en el capital corriente, dentro del grupo A) de los flujos de efectivo de las actividades de explotación:

Estado de flujos de efectivo	Cuenta de Flujo
A) Flujos de efectivo **DE LAS ACTIVIDADES DE EXPLOTACIÓN**	
3. Cambios en el capital corriente.	
a) Existencias (+/–).	A03a
b) Deudores y otras cuentas a cobrar (+/–).	A03b
c) Otros activos corrientes (+/–).	A03c
d) Acreedores y otras cuentas a pagar (+/–).	A03d
e) Otros pasivos corrientes (+/–).	A03e
f) Otros activos y pasivos no corrientes (+/–).	A03f

El cuarto dígito recoge el 4 nivel de detalle del estado de flujos de efectivo, que es el último nivel de detalle que presenta el estado: **subpartidas**. Solo existe este nivel de desglose en el epígrafe 10. Cobros y pagos por instrumentos de pasivo financiero. En el resto de epígrafes no existe este desglose. Por tanto, el cuarto digito será un número del 1 al 4 para el epígrafe 10, y para el resto será cero.

En el siguiente ejemplo se muestra el proceso de codificación relativo a las subpartidas de la partida a) Emisión, englobada dentro del epígrafe 10. Cobros y pagos por instrumentos de pasivo financiero, que pertenece al grupo C) de flujos de efectivo de actividades de financiación.

Estado de flujos de efectivo	Cuenta de Flujo
C) Flujos de efectivo DE LAS ACTIVIDADES **DE FINANCIACIÓN**	
10. Cobros y pagos por instrumentos de pasivo financiero.	
a) Emisión	
1. Obligaciones y otros valores negociables (+).	C10a1
2. Deudas con entidades de crédito (+).	C10a2
3. Deudas con empresas del grupo y asociadas (+).	C10a3
4. Otras deudas (+).	C10a4

Para una mejor comprensión del sistema de codificación de la cuenta de flujo, a continuación se desarrollan un par de ejemplos:

Ejemplo 1:

Supongamos que registramos una compra de existencias. Esta afectará a la siguiente partida del estado de flujos de efectivo:

A) FLUJOS DE EFECTIVO DE LAS ACTIVIDADES DE EXPLOTACIÓN

3. Cambios en el capital corriente.
a) Existencias (+/−).

Por tanto, la codificación de la cuenta de flujo afectada sería: **A03a0** (codificación A-03-a-0, formada por 4 posiciones):

> **A** por pertenecer al grupo A,
> **03** por pertenecer al epígrafe 3,
> **a** por pertenecer a la partida Existencias
> y, por último, **cero**, por no tener detalle de subpartidas.

Si, además, queremos más detalle[13], y se pretende identificar un tipo específico de existencias X, que en la contabilidad general están codificadas en la cuenta 3000001, podemos codificar la cuenta de flujo con **A03a0001**. Véase que a los 4 dígitos de estructuración se han añadido 3 más (numéricos) para identificar diferentes tipos de existencias.

Si, además, la empresa tiene un segundo tipo de existencia: Y, y se encuentra registrada contablemente en la cuenta 3000002, se puede codificar la cuenta de flujo con **A03a0002,** y así sucesivamente, a merced de las necesidades o requisitos de la empresa.

Ejemplo 2:

Supongamos un hecho contable con la partida de proveedores. A nivel del estado de flujos de efectivo, afectaría al siguiente grupo:

---

[18] Aplicación de ley de desglose.

A) FLUJOS DE EFECTIVO DE LAS ACTIVIDADES DE EXPLOTACIÓN

3. Cambios en el capital corriente.
b) Acreedores y otras cuentas a pagar

Por tanto, la codificación de la cuenta de flujo en el asiento triangular sería: **A03b0**

> **A** por pertenecer al grupo A,
> **03** por pertenecer al epígrafe 3,
> **b** por pertenecer a la partida Acreedores y otras cuentas a pagar
> y, por último, **cero**, por no tener detalle de subpartidas.

Si se pretende ampliar la estructuración y el detalle de la cuenta de flujo con proveedores, bajo el supuesto de que la compañía tiene dos proveedores: ZZ y XX, con sus respectivas cuentas: 4000001 y 4000002, la codificación podría ser: **A03b0001** y **A03b0002** respectivamente. (Véase que para mantener un paralelismo con las cuentas contables, la codificación específica se ha mantenido igual, permitiendo una estructuración y codificación mucho más familiar y de fácil identificación para los usuarios de la contabilidad).

A continuación se muestra la correlación de las partidas del estado de flujos de efectivo y las cuentas de flujo que las representan, de la misma forma que se presentan las correlaciones para el balance y la Cuenta de Pérdidas y Ganancias en el *Real Decreto 1514/ 2007, de 16 de noviembre, por el que se aprueba el Plan General de Contabilidad.* En la parte derecha del estado se muestran las cuentas de flujo.

Cuenta deFlujo	ESTADO DE FLUJOS DE EFECTIVO
	A) FLUJOS DE EFECTIVO DE LAS ACTIVIDADES DE EXPLOTACION
	1. Resultado del ejercicio antes de impuestos.
	2. Ajustes del resultado.
A02a0	a) Amortización del inmovilizado (–).
A02b0	b) Correcciones valorativas por deterioro (+/-).
A02c0	c) Variación de provisiones (+/-).
A02d0	d) Imputación de subvenciones (-)
A02e0	e) Resultados por bajas y enajenaciones del inmovilizado (+/-).
A02f0	f) Resultados por bajas y enajenaciones de instrumentos financieros (+/-).
A02g0	g) Ingresos financieros (-).
A02h0	h) Gastos financieros (+).
A02i0	i) Diferencias de cambio (+/-).
A02j0	j) Variación de valor razonable en instrumentos financieros (+/-).
A02k0	k) Otros ingresos y gastos (-/+).
	3. Cambios en el capital corriente.
A03a0	a) Existencias (+/-).
A03b0	b) Deudores y otras cuentas a cobrar (+/-).
A03c0	c) Otros activos corrientes (+/-).
A03d0	d) Acreedores y otras cuentas a pagar (+/-).
A03e0	e) Otros pasivos corrientes (+/-).
A03f0	f) Otros activos y pasivos no corrientes (+/-).
	4. Otros flujos de efectivo de las actividades de explotación.
A04a0	a) Pagos de intereses (-).
A04b0	b) Cobros de dividendos (+).
A04c0	c) Cobros de intereses (+).
A04d0	d) Cobros (pagos) por impuesto sobre beneficios(+/-).
A04e0	e) Otros pagos (cobros) (-/+)
	5. Flujos de efectivo de las actividades de explotación (+/-1+/-2+/-3+/-4)
	B) FLUJOS DE EFECTIVO DE LAS ACTIVIDADES DE INVERSIÓN
	6. Pagos por inversiones (-).
B06a0	a) Empresas del grupo y asociadas.
B06b0	b) Inmovilizado intangible.
B06c0	c) Inmovilizado material.
B06d0	d) Inversiones inmobiliarias.
B06e0	e) Otros activos financieros.
B06f0	f) Activos no corrientes mantenidos para venta.
B06g0	g) Otros activos.
	7. Cobros por desinversiones (+).
B07a0	a) Empresas del grupo y asociadas.
B07b0	b) Inmovilizado intangible.
B07c0	c) Inmovilizado material.
B07d0	d) Inversiones inmobiliarias.
B07e0	e) Otros activos financieros.
B07f0	f) Activos no corrientes mantenidos para venta.
B07g0	g) Otros activos.
	8. Flujos de efectivo de las actividades de inversión (7-6)
	C) FLUJOS DE EFECTIVO DE LAS ACTIVIDADES DE FINANCIACIÓN
	9. Cobros y pagos por instrumentos de patrimonio.
C09a0	a) Emisión de instrumentos de patrimonio (+)
C09b0	b) Amortización de instrumentos de patrimonio (-).
C09c0	c) Adquisición de instrumentos de patrimonio propio (-).
C09d0	d) Enajenación de instrumentos de patrimonio propio (+).
C09e0	e) Subvenciones, donaciones y legados recibidos (+).
	10. Cobros y pagos por instrumentos de pasivo financiero.
	a) Emisión
C10a1	1. Obligaciones y otros valores negociables (+).
C10a2	2. Deudas con entidades de crédito (+).
C10a3	3. Deudas con empresas del grupo y asociadas (+).
C10a4	4. Otras deudas (+).
	b) Devolución y amortización de
C10b1	1. Obligaciones y otros valores negociables (-).
C10b2	2. Deudas con entidades de crédito (-).
C10b3	3. Deudas con empresas del grupo y asociadas (-).
C10b4	4. Otras deudas (-).
	11. Pagos por dividendos y remuneraciones de otros instrumentos de patrimonio.
C11a0	a) Dividendos (-).
C11b0	b) Remuneración de otros instrumentos de patrimonio (-).
	12. Flujos de efectivo de las actividades de financiación (+/-9+/-10-11)
D0000	**D) Efecto de las variaciones de los tipos de cambio**
	E) AUMENTO/DISMINUCION NETA DEL EFECTIVO O EQUIVALENTES (+/-5+/-8+/-12+/- D)
	Efectivo o equivalentes al comienzo del ejercicio.
	Efectivo o equivalentes al final del ejercicio.

Nominación de las cuentas de flujo

Al igual que ocurre con las cuentas de patrimonio, la nominación de las cuentas de flujo se origina tomando el mismo nombre que presentan las partidas en el estado de flujos de efectivo, siendo esta nominación el nombre general de la cuenta de flujo. Añadiéndose, como es obvio, un segundo nombre específico que permita identificar más acuradamente la cuenta de flujo (ya que al final, tal y como ocurre en las cuentas de balance y resultados, los usuarios acaban utilizando y reconociendo las cuentas por el nombre específico).

A modo de ejemplo, si tomamos las cuentas de flujo detalladas en el punto anterior, la nominación será la siguiente, compuesta por el nombre genérico y seguido del nombre específico:

Ejemplo 1:

A03a0001 Cambios en el capital corriente. Existencias. *Existencia X*
A03a0002 Cambios en el capital corriente. Existencias. *Existencia Y*

Ejemplo 2:

A03b0001 Cambios en el capital corriente. Acreedores y otras cuentas a pagar. *Proveedor ZZ*
A03b0002 Cambios en el capital corriente. Acreedores y otras cuentas a pagar. *Proveedor XX*

Como puede apreciarse para la nominación general de la cuenta, se ha tomado el mismo nombre que los epígrafes y las partidas del estado de flujos de efectivo. Para la nominación específica (en cursiva) se usaría la descripción que más interese al usuario, en este caso, se ha usado como ejemplo una descripción que identifica a las existencias o al proveedor.

Es obvio que cuanto mayor sea el nivel de desglose de las cuentas de flujo, mayor será la información disponible respecto a las partidas que componen los epígrafes del estado de flujos de efectivo, permitiendo un análisis muy pormenorizado de los movimientos de flujo.

Seguidamente se expone el cuadro de las cuentas de flujo, detallando el número de cuenta y la nominación genérica propuesta. En total se han desarrollado 52 cuentas de flujo en correlación con las distintas partidas del estado de flujos de efectivo:

Cuadro de Cuentas de Flujo

Grupo A) Flujos de efectivo DE LAS ACTIVIDADES DE EXPLOTACIÓN

A02a0	Ajuste Resultado. Amortización inmovilizado
A02b0	Ajuste Resultado. Correcciones valorativas por deterioro
A02c0	Ajuste Resultado. Variación provisiones
A02d0	Ajuste Resultado. Imputación de subvenciones
A02e0	Ajuste Resultado. Resultados del inmovilizado
A02f0	Ajuste Resultado. Resultados de instrumentos financieros
A02g0	Ajuste Resultado. Ingresos financieros
A02h0	Ajuste Resultado. Gastos financieros
A02i0	Ajuste Resultado. Diferencias de cambio
A02j0	Ajuste Resultado. Variación valor razonable instrumentos financieros
A02k0	Ajuste Resultado. Otros ingresos y gastos
A03a0	Cambios capital corrientes. Existencias
A03b0	Cambios capital corrientes. Deudores y otras cuentas a cobrar
A03c0	Cambios capital corrientes. Otros activos corrientes
A03d0	Cambios capital corrientes. Acreedores y otras cuentas a pagar
A03e0	Cambios capital corrientes. Otros pasivos corrientes
A03f0	Cambios capital corrientes. Otros activos y pasivos no corrientes
A04a0	Otros flujos de explotación. Pagos de intereses
A04b0	Otros flujos de explotación. Cobros de dividendos
A04c0	Otros flujos de explotación. Cobros de intereses
A04d0	Otros flujos de explotación. Cobros/Pagos impuesto por beneficios
A04e0	Otros flujos de explotación. Otros pagos/cobros

Grupo B) Flujos de efectivo DE LAS ACTIVIDADES DE INVERSIÓN

B06a0   Pagos por inversiones. Empresas del grupo y asociadas

B06b0   Pagos por inversiones. Inmovilizado intangible

B06c0   Pagos por inversiones. Inmovilizado material

B06d0   Pagos por inversiones. Inversiones inmobiliarias

B06e0   Pagos por inversiones. Otros activos financieros

B06f0   Pagos por inversiones. Activos no corrientes para la venta

B06g0   Pagos por inversiones. Otros activos

B07a0   Cobros por inversiones. Empresas del grupo y asociadas

B07b0   Cobros por inversiones. Inmovilizado intangible

B07c0   Cobros por inversiones. Inmovilizado material

B07d0   Cobros por inversiones. Inversiones inmobiliarias

B07e0   Cobros por inversiones. Otros activos financieros

B07f0   Cobros por inversiones. Activos no corrientes para la venta

B07g0   Cobros por inversiones. Otros activos

Grupo C) Flujos de efectivo DE LAS ACTIVIDADES DE FINANCIACIÓN

C09a0   Cobros y pagos por instrumentos de patrimonio. Emisión de instrumentos de patrimonio

C09b0   Cobros y pagos por instrumentos de patrimonio. Amortización de instrumentos de patrimonio

C09c0   Cobros y pagos por instrumentos de patrimonio. Adquisición de instrumentos patrimonio propio

C09d0   Cobros y pagos por instrumentos de patrimonio. Enajenación de instrumentos de patrimonio propio

C09e0	Cobros y pagos por instrumentos de patrimonio. Subvenciones, donaciones y legados recibidos.
C10a1	Cobros y pagos por instrumentos de pasivo. Emisión de obligaciones y otros valores negociables
C10a2	Cobros y pagos por instrumentos de pasivo. Deudas con entidades de crédito
C10a3	Cobros y pagos por instrumentos de pasivo. Deudas con empresas del grupo y asociadas
C10a4	Cobros y pagos por instrumentos de pasivo. Emisión otras deudas
C10b1	Cobros y pagos por instrumentos de pasivo. Devolución de obligaciones y otros valores negociables
C10b2	Cobros y pagos por instrumentos de pasivo. Devolución deudas con entidades de crédito
C10b3	Cobros y pagos por instrumentos de pasivo. Devolución deudas con empresas del grupo y asociadas
C10b4	Cobros y pagos por instrumentos de pasivo. Devolución otras deudas
C11a0	Pagos por remuneraciones. Dividendos
C11b0	Pagos por remuneraciones. Otros instrumentos de patrimonio

Grupo D) EFECTO DE LAS VARIACIONES DE LOS TIPOS DE CAMBIO

D0000	Efectos de las variaciones de los tipos de cambio en los flujos

CUADRE O CONTROL DE CUADRE: CUARTO PRINCIPIO DE LA CONTABILIDAD TRIANGULAR

Retomando los principios básicos de la contabilidad de partida doble expuestos en el capítulo sobre el planteamiento de la contabilidad triangular[19], el cuarto de ellos plantea que en cualquier momento la suma del DEBE de todos los hechos contables tiene que ser igual a la suma del HABER.

La expresión matemática es:

$$\sum_{i}^{n} \text{Debe } i = \sum_{i}^{n} \text{Haber } i$$

En donde i son los distintos hechos contables.

En la contabilidad triangular este principio se sigue cumpliendo, pero además y teniendo en cuenta el cuadre independiente que el propio estado de flujos de efectivo proporciona (según el método indirecto), se cumplirá la siguiente igualdad, ya mostrada en el capítulo de introducción:

RESULTADOS + FLUJOS DE ACTIVIDADES = MOVIMIENTO DE TESORERÍA

En donde,

Los **RESULTADOS** son los resultados del periodo antes de impuestos, los **FLUJOS DE ACTIVIDADES** son los flujos de efectivo de las actividades de explotación, inversión y financiación que se han producido durante el periodo y los efectos de las variaciones de los tipos de cambio, y el **MOVIMIENTO DE TESORERÍA** es la variación que se ha producido durante el periodo en las cuentas de tesorería (efectivo y equivalente de efectivo).

[19] El primer y el segundo principio fueron desarrollados en el capítulo "Planteamiento de la contabilidad triangular".

Si ahora trasladamos esta igualdad a nivel de cuentas, tendremos que:

Cuentas resultados + cuentas de flujo = cuentas de tesorería

En donde,

CUENTAS RESULTADOS es la suma de todos los movimientos (debe y haber) de las cuentas de pérdidas y ganancias: grupos 6 y 7 del cuadro de cuentas, excepto la cuenta de impuestos sobre beneficios (630).

CUENTAS DE FLUJO es la suma de todos los movimientos (Positivos y Negativos) de las cuentas de flujo

CUENTAS DE TESORERÍA es la suma de todos los movimientos de tesorería o activos líquidos equivalentes, tomando la entrada de efectivo como movimientos positivos (los debes) y la salida de efectivo como movimientos negativos (los haberes), que se encuentran registrados en el grupo 57. TESORERÍA del cuadro de cuentas, desglosado en las siguientes cuentas:

570. Caja, euros
571. Caja, moneda extranjera
572. Bancos e instituciones de crédito c/c vista, euros
573. Bancos e instituciones de crédito c/c vista, moneda extranjera
574. Bancos e instituciones de crédito, cuentas de ahorro, euros
575. Bancos e instituciones de crédito, cuentas de ahorro, moneda extranjera
576. Inversiones a corto plazo de gran liquidez

Por tanto, la contabilidad triangular cumple con esta igualdad.

Si desarrollamos esta igualdad a nivel de movimiento del hecho contable, sabemos que la suma de todos los movimientos de una cuenta es igual a la suma de todos los movimientos del debe menos la suma de todos los movimientos del haber (en definitiva el saldo):

Suma movimientos cuenta = Suma movimientos DEBE – Suma movimientos HABER.

Para las cuentas de flujo, será exactamente igual, pero distinguiendo entre movimientos positivos y movimientos negativos.

Suma movimientos cuentas de flujo = Suma movimientos positivos − suma movimientos negativos.

Ahora desarrollamos la igualdad anterior, sustituyendo los movimientos de cuentas por los movimientos de debe o haber, positivos o negativos, quedando la siguiente expresión matemática:

$$+ \sum_{i}^{n} \text{debe } i - \sum_{i}^{n} \text{haber } i \text{ de las Cuentas Grupo 6 y 7 (excepto 630)}$$

$$+ \sum_{i}^{n} \text{Positivo } i - \sum_{i}^{n} \text{Negativo } i \text{ de las Cuentas de Flujo } =$$

$$+ \sum_{i}^{n} \text{debe } i - \sum_{i}^{n} \text{haber } i \text{ de las Cuentas Grupo 57}$$

En donde i son los distintos hechos contables. Si tomamos abreviaturas para el debe (D) y el haber (H), la expresión quedará:

$$+ \sum_{i}^{n} Di - \sum_{i}^{n} Hi \text{ Grupo 6 y 7} + \sum_{i}^{r.} + i - \sum_{i}^{n} - i \text{ Cuentas de flujo}$$

$$= + \sum_{i}^{n} Di - \sum_{i}^{n} Hi \text{ Grupo 57}$$

Por tanto, el principio básico de la contabilidad triangular demuestra que la suma de los movimientos de debe menos la suma de los movimientos de haber de los hechos contables que afectan a cuentas de pérdidas y ganancias, más la suma de los movimientos positivos menos la suma de los movimientos negativos de los hechos contables que afectan a las cuentas de flujo, es igual a la suma de los movimientos de debe menos la suma de los movimientos de haber de los hechos contables que afectan a cuentas de tesorería o activos líquidos equivalentes.

Para los movimientos que afectan a las cuentas de pérdidas y ganancias se toman con signo positivo los ingresos y los beneficios (en general los haberes) y con signo negativo las pérdidas y los gastos (en general los debes).

Para los movimientos que afecta a las cuentas de tesorería y de los activos líquidos equivalentes se toman con signo positivo las entradas de tesorería (en general los debes) y con signo negativo las salidas de tesorería (en general los haberes).

De una forma intuitiva, puede demostrarse esta igualdad imaginando que una empresa actúa bajo el criterio de caja (no el de devengo), solo llevando a resultados aquellos movimientos relativos a sus transacciones comerciales cuando pasen por caja: los gastos e ingresos respecto a sus proveedores y clientes. Por tanto, el movimiento de las cuentas de flujo será nulo para los hechos contables que afecten a las transacciones con sus clientes y proveedores, al no existir movimientos de traspaso de fondos, ni obtención de créditos comerciales de proveedores ni concesión de créditos a sus clientes. Por tanto, todos los movimientos en resultados de las transacciones comerciales tendrán su reflejo simétrico en las cuentas de caja, por lo que se cumpliría la igualdad.

Matemáticamente tendríamos que para las cuentas de flujo no habría movimientos:

$$\sum_{i}^{n} + i = 0$$

$$\sum_{i}^{n} - i = 0$$

Y, por tanto, la igualdad quedaría de la siguiente forma:

$$+ \sum_{i}^{n} Di - \sum_{i}^{n} Hi \text{ Grupo 6 y 7} = + \sum_{i}^{n} Di - \sum_{i}^{n} Hi \text{ Grupo 57}$$

En donde i son los hechos contables derivados de las transacciones comerciales.

A la igualdad de este principio, que se cumple siempre, puede agregarse la igualdad de la contabilidad de partida doble, incluyendo cada parte de la igualdad en su respectivo lado, por lo que la igualdad se sigue respetando, y por tanto la expresión matemática quedará:

$$+ \sum_{i}^{n} Di + \sum_{i}^{n} Di - Hi \text{ Grupo 6 y 7} + \sum_{i}^{n} + - i \text{ Cuentas de flujo}$$

$$= + \sum_{i}^{n} Di - Hi \text{ Grupo 57} + \sum_{i}^{n} Hi$$

En donde i son los distintos hechos contables.

Por tanto, en esta igualdad se aglutinan las dos igualdades que determinan los dos principios contables de cuadre de movimientos de cuentas, tanto para la contabilidad de partida doble como para la contabilidad triangular. Claro está que esta igualdad solo se cumple si existen cuentas de flujo, es decir, bajo la contabilidad triangular.

Por otro lado, también es fácil advertir que si queremos prescindir del cuadre de la contabilidad triangular, con omitir los elementos de la igualdad que corresponden a la contabilidad triangular (los movimientos de las cuentas de pérdidas y ganancias, los movimientos de las cuentas de flujo, y los movimientos de las cuentas de tesorería), quedarán los dos elementos de la igualdad convencional: debe = haber.

De forma esquemática, los cuadres que permite esta igualdad son:

$$+ \sum_{i}^{n} \text{Di} + \sum_{i}^{n} \text{Di} - \text{Hi Grupo 6 y 7} + \sum_{i}^{n} + - i \text{ Cuentas Flujo} = + \sum_{i}^{n} \text{Di} - \text{Hi Grupo 57} + \sum_{i}^{n} \text{Hi}$$

Cuadre triangular

Cuadre de partida doble

Cuadre global

Por tanto, a través de la comprobación del cuadre global se valida tanto el cuadre de las cuentas por partida doble como el cuadre de las cuentas de flujo.

CUADRE DEL ASIENTO DE LA CONTABILIDAD TRIANGULAR

En la contabilidad de partida doble, el principio[20] por excelencia es el que define que en todo hecho contable la suma del valor adeudado (el debe) en uno o varios elementos patrimoniales ha de ser igual a la suma del valor abonado (el haber) en otros elementos patrimoniales. Si ambos coinciden, el asiento está cuadrado. Esta igualdad emana de la ecuación básica de contabilidad, en donde ACTIVO – PASIVO = PATRIMONIO NETO; o tomando las iniciales: A – P = PN.

El cuadre que se realiza en el asiento de la contabilidad triangular emana directamente del cuadre global visto en el capítulo anterior, en donde se definía matemáticamente como:

$$+ \sum_{i}^{n} Di + \sum_{i}^{n} Di - Hi \text{ Grupo 6 y 7} + \sum_{i}^{n} + - i \text{ Cuentas de Flujo}$$

$$= + \sum_{i}^{n} Di - Hi \text{ Grupo 57} + \sum_{i}^{n} Hi$$

En donde i son los distintos hechos contables.

Para un hecho contable en concreto (i = 1) esta igualdad se cumple, por tanto, si en un asiento de la contabilidad triangular la suma del valor de la parte de la izquierda de la igualdad es igual a la suma de valor de la parte derecha, el asiento estará cuadrado.

---

[20] Es el tercer principio contable básico.

En resumen, la suma de todos los debes del asiento, más las suma neta de los debes y los haberes (en negativo) de las cuentas de los grupos 6 y 7 del asiento, más la suma neta de los movimientos positivos y los negativos de las cuentas de flujo del asiento, será igual a la suma neta de los debes y haberes de las cuentas del grupo 57 más la suma de todos los haberes del asiento.

Además, al igual que ocurre con el cuadre global, también se cumplirá que el debe es igual al haber para las cuentas del asiento que formarían parte de la contabilidad de partida doble.

Para una mejor comprensión del cuadre tomemos el siguiente ejemplo:

Una sociedad realiza la prestación de servicios a su cliente valorados en 10.000,00 u.m. (se omiten los impuestos indirectos para simplificar el ejemplo). Acuerda con el cliente el pago por transferencia del 30 % y para el resto le permite un aplazamiento de 60 días.

Esta transacción, por un lado, presenta como debe del hecho contable una entrada en caja de 3.000,00 u.m. (el 30 % del total del valor del servicio), que se registrará en el grupo 57, en concreto en la cuenta 572 Bancos, y una entrada en la cuenta de clientes por la financiación otorgada por 7.000,00 u.m., que se registrará en la cuenta 430 Clientes. Por otro lado, como movimiento de haber presenta un ingreso en cuentas de resultados del grupo 7, en concreto la 705 Prestación de servicios. El asiento en la contabilidad de partida doble quedará como sigue:

Debe		Fecha asiento		Haber
3.000,00	572 Bancos		705 Prestación de Servicios	10.000,00
		a		
7.000,00	430 Clientes			

u.m. = unidades monetarias

El cuadre del asiento anterior resulta una obviedad:

$$\sum debe = \sum haber \rightarrow \sum debe = 3.000,00 + 7.000,00 = 10.000,00 \text{ u.m.;}$$

$$\sum haber = 10.000,00 \text{ u.m.}$$

Ahora construyamos el estado de flujos de efectivo para este asiento. El movimiento de clientes, al ofrecer financiación, supone una salida de flujo y por tanto se tomará como negativo. Al tratarse de una actividad corriente de la empresa, se registrará en el grupo A) Flujos de efectivo de las actividades de explotación, dentro del epígrafe 3.Cambios en el capital corriente, y en la partida b) Deudores y otras cuentas a cobrar del estado de flujos de efectivo.

Por último, en el epígrafe 1.Resultado del ejercicio antes de impuestos del estado se registrarán en positivo (al tratarse de beneficios) las 10.000,00 u.m.

Por otro lado, el efectivo al inicio del hecho contable es 0 (al tomar el hecho aisladamente no hay efectivo anterior), y el efectivo al final del hecho contable es 3.000,00 u.m.: han entrado en bancos las 3.000,00 u.m. pagadas por el cliente.

El estado de flujos de efectivo quedará de la siguiente forma (se omiten el resto de partidas y epígrafes para mostrar el ejemplo más fácilmente):

Estado de flujos de efectivo	u.m.
A) Flujos de efectivo DE LAS ACTIVIDADES DE EXPLOTACIÓN	
1. Resultado del ejercicio antes de impuestos.	**+10.000,00**
3. Cambios en el capital corriente.	
b) Deudores y otras cuentas a cobrar.	−7.000,00
5. Flujos de efectivo de las actividades de explotación	**3.000,00**
B) Flujos de efectivo DE LAS ACTIVIDADES DE INVERSIÓN	-
C) Flujos de efectivo DE LAS ACTIVIDADES DE FINANCIACIÓN	-
D) Efecto de las variaciones de los tipos de cambio	-

E) AUMENTO/DISMINUCIÓN NETA DEL EFECTIVO O EQUIVALENTES	3.000,00
Efectivo o equivalentes al comienzo del ejercicio.	**0,00**
Efectivo o equivalentes al final del ejercicio.	**3.000,00**

Como puede comprobarse el estado cuadra. Expresado matemáticamente sería:

RESULTADOS + FLUJOS DE ACTIVIDADES = MOVIMIENTO DE TESORERÍA

RESULTADOS = 10.000,00 u.m. (antes de impuestos)

Flujos de efectivo = −7.000,00 u.m.

10.000,00 − 7.000,00 = 3.000,00 u.m. → Parte izquierda de la igualdad

MOVIMIENTOS DE TESORERÍA = 0,00 + 3.000,00 u.m. = 3.000,00 u.m. → Parte derecha de la igualdad

Por tanto, el estado está cuadrado.

Llegados a este punto, podemos realizar el asiento triangular del ejemplo. Para ello, primero deberemos analizar el hecho contable e identificar a qué cuenta de flujo afecta el movimiento de flujo de dicho hecho contable y por qué valor. Este análisis, en realidad, ya se ha realizado en el punto anterior al construir el estado de flujos de efectivo.

El movimiento de flujo de efectivo por la prestación de servicios se produce en la financiación que se otorga al cliente por 7.000,00 u.m., es decir, la tesorería de la sociedad deja de poder disponer de ese efectivo por el aplazamiento del cobro que concede al cliente. Por tanto, es un movimiento negativo, es decir, de menos capacidad de flujo de efectivo.

Ya disponemos de dos datos esenciales, el valor del movimiento de flujo de efectivo: 7.000,00 u.m., y que se trata de un movimiento negativo.

El siguiente paso es analizar qué cuenta de flujo es afectada, pudiéndose deducir de dos maneras:

1. La primera, a través de la elaboración del estado de flujos de efectivo. Sabiendo en qué epígrafe se ha registrado el movimiento, y tomando el cuadro de cuentas de flujos, que correlaciona las cuentas con los epígrafes del estado, se determina que la cuenta de flujo afecta es la **A03b0 Cambios capital corriente. Deudores y otras cuentas a cobrar.**

2. La segunda, de forma directa sin necesidad de elaborar el estado de flujos de efectivo, a través del análisis del hecho: se trata de un movimiento que afecta a la actividad de explotación, al estar relacionado con la prestación de servicios que ofrece la sociedad (no se trata ni de una actividad de inversión ni de financiación). Asimismo, afecta al capital corriente de la empresa; en concreto por el incremento de la financiación de clientes/deudores, y, por tanto, se verá afectada la cuenta que recoja estas características: la **A03b0 Cambios capital corriente. Deudores y otras cuentas a cobrar.**

La segunda forma de deducción, como puede intuirse, será la forma habitual de realizar la contabilidad triangular, al igual que se realiza la identificación de la cuenta del debe y de la cuenta del haber del hecho contable previamente a su registro.

Una vez conocemos ya la cuenta de flujo afectada, el valor y el signo, podemos realizar el asiento contable triangular:

Debe		*Fecha asiento*	*Haber*
3.000,00	572 Bancos	705 Prestación de servicios	10.000,00
7.000,00	430 Clientes		
		A03b0 Cambio capital Cte. Deudores y ctas. a cobrar	
		−7.000,00	
		Flujo	

u.m. = unidades monetarias

En el asiento triangular se distinguen claramente las tres partidas:

El debe: formado por la suma del movimiento de dos cuentas: 572 Bancos y 430 Clientes, por un total de 10.000,00 u.m.

El haber: formado por el movimiento de la cuenta 705 Prestación de Servicios por 10.000,00 u.m.

El movimiento de flujo: formado por el movimiento de la cuenta de flujo A03b0 Deudores y otras cuentas a cobrar, por importe de −7.000,00 u.m. (en negativo).

En cuanto al cuadre del asiento, tenemos, por un lado, que el cuadre tradicional de la contabilidad de partida doble se sigue cumpliendo:

$\sum$ debe = $\sum$ haber → $\sum$ debe = 3.000,00 + 7.000,00 = 10.000,00 u.m.; $\sum$ haber = 10.000,00 u.m.

Por otro lado, el cuadre del asiento triangular también se cumple, en donde:

$$+ \sum_{i}^{n} Di - Hi \text{ Cuentas Grupo 6 y 7} + \sum_{i}^{n} + - i \text{ Cuentas Flujo}$$

$$= + \sum_{i}^{n} Di - Hi \text{ Cuentas Grupo 57}$$

siendo cada parte de la igualdad:

$$\sum_{i}^{n} Di - Hi \text{ Cuentas Grupo 6 y 7}$$ (excepto la cuenta 630); el movimiento neto de las cuentas de resultados. En este caso, el movimiento neto son 10.000,00 u.m. en positivo, por tratarse de un beneficio o ingreso de la cuenta 705 Prestación de servicios.

$\sum_{i}^{n} +-i$ Cuentas Flujo; el movimiento neto de las cuentas de flujo. En este caso, solo existe un movimiento en negativo de 7.000,00 u.m. por la cuenta A03b0.

$\sum_{i}^{n}$ Di–Hi Cuentas Grupo 57 ; el movimiento de las cuentas de tesorería y activos líquidos equivalentes. En este caso, 3.000,00 u.m. en positivo por tratarse de una entrada de efectivo en la cuenta 572 Bancos.

Por tanto, el movimiento triangular está cuadrado, ya que cumple la igualdad:

$$+ \sum_{i}^{n} Di - Hi \text{ Grupo 6 y 7} + \sum_{i}^{n} +-i \text{ Cuentas Flujo} = + \sum_{i}^{n} Di - Hi \text{ Grupo 57}$$

$$\underbrace{+ 10.000,00} \qquad \underbrace{-7.000,00} \quad = \quad \underbrace{+ 3.000,00}$$

El lado derecho de la igualdad es igual a + 10.000,00 – 7.000,00 = 3.000,00 u.m.

El lado izquierdo de la igualdad es 3.000,00 u.m.

También podemos comprobar el cuadre global del asiento, cuadrando simultáneamente la partida doble y la contabilidad triangular, con la siguiente igualdad, y en donde:

$$+ \sum_{i}^{n} Di = 10.000,00 \text{ u.m. (el debe total del asiento)}$$

$$+ \sum_{i}^{n} Hi = 10.000,00 \text{ u.m. (el haber total del asiento)}$$

$$+ \sum_{i}^{n} Di + \sum_{i}^{n} Di - Hi \text{ Grupo 6 y 7} + \sum_{i}^{n} + -i \text{ Cuentas Flujo} = + \sum_{i}^{n} Di - Hi \text{ Grupo 57} + \sum_{i}^{n} Hi$$

$$\underbrace{}_{+\,10.000,00} \quad \underbrace{}_{+\,10.000,00} \quad \underbrace{}_{-7.000,00} \quad \underbrace{}_{3.000,00} \quad \underbrace{}_{10.000,00}$$

El lado derecho de la igualdad es igual a: +10.000,00 + 10.000,00 − 7.000,00 = 13.000,00 u.m.

El lado izquierdo de la igualdad es igual a: +3.000,00 + 10.000,00 = 13.000,00 u.m.

Por tanto, el asiento desde una perspectiva global, que incluye el cuadre de la contabilidad de partida doble y el cuadre de la contabilidad triangular, está cuadrado.

Visto todo lo anterior, y a modo de resumen y simplificando las nominaciones, el cuadre del asiento de la contabilidad triangular puede realizarse de dos formas:

a) La primera, de forma independiente, por un lado cuadrando las cuentas de patrimonio que forman la contabilidad de partida doble (cuadre clásico), y por otro lado, tomando el asiento triangular, incluyendo las cuentas de flujo:

✓ Contabilidad partida doble: $\sum \mathbf{debe} = \sum \mathbf{haber}$
✓ Contabilidad triangular $\sum \mathbf{Ctas\ Rtdos} + \sum \mathbf{Ctas\ Flujo} = \sum \mathbf{Ctas.\ tesorería}$

b) La segunda, de manera global:

✓ $\sum \mathbf{debe} + \sum \mathbf{Ctas.\ Rtdos.} + \sum \mathbf{Ctas.\ Flujo} = \sum \mathbf{Ctas.\ tesorería} + \sum \mathbf{haber}$

En donde,

Ctas. Rtdos. = Saldo neto del movimiento en las cuentas del grupo 6 y 7, excepto la cuenta 630 (impuestos sobre beneficios).

Ctas. Flujo = Saldo neto del movimiento en las cuentas de flujo.

Ctas tesorería = Saldo neto del movimiento en las cuentas del grupo 57.

Cabe aquí apuntar que el cuadre para la contabilidad triangular es sencillo de realizar y de recordar, y sobre todo resulta fácil de implementar en cualquier sistema de información contable, no necesitando un desarrollo excesivo de programación ni de relaciones internas complejas.

EL BALANCE DE COMPROBACIÓN DE SUMAS Y SALDOS

En la contabilidad de partida doble, el balance de comprobación tiene como objetivo principal determinar que los asientos realizados en el libro diario han sido correctamente registrados y ordenados en sus respectivas cuentas, mostrando, para cada cuenta, el movimiento acumulado del importe total registrado en el debe y el movimiento del importe total en el haber. Obviamente, el total de las dos cifras del conjunto de cuentas debe coincidir.

El balance de comprobación también muestra el saldo de la cuenta, diferenciando las cuentas con un saldo debe en una columna y las cuentas de saldo haber en la columna siguiente. La suma de todos los saldos también debe cuadrar.

El principio de la contabilidad de partida doble, donde todo hecho contable supone una carga en unas cuentas y un abono en otras por el mismo importe total, es de donde surge el cuadre del balance de comprobación, que deriva directamente de la identidad principal de la partida doble, en donde activo es igual pasivo más patrimonio neto, es decir, $A = P + PN$.

El balance de comprobación esquemáticamente se construye por columnas y existen distintas versiones, pero básicamente muestran la misma información. A modo de ejemplo se muestra la siguiente representación, en donde se ha habilitado una última columna que refleja el movimiento de saldos de las cuentas, y cuyo total debe ser igual a cero.

Cuenta	Saldo anterior	Acumulado periodo		Saldo final		Movimiento del periodo
		Debe	Haber	Debe	Haber	

Si realizamos el balance de comprobación de sumas y saldos con las cuentas que se han utilizado en el ejemplo del capítulo anterior, en el registro de una operación de prestación servicios, bajo el supuesto de que no ha habido movimientos anteriores, quedará de la siguiente manera:

Balance Comprobación

Cuenta	Saldo anterior	Acumulado periodo		Saldo final		Movimiento periodo
		Debe	Haber	Debe	Haber	
430 Clientes	0	7.000,00	-	7.000,00	-	+7.000,00
572 Bancos	0	3.000,00	-	3.000,00	-	+3.000,00
705 Prestación de servicios	0	-	−10.000,00	-	−10.000,00	−10.000,00
TOTAL BALANCE COMPROB.	**0**	**10.000,00**	**−10.000,00**	**10.000,00**	**−10.000,00**	**0,00**

Un hecho muy común en los sistemas de información contable es presentar los movimientos reflejados en el haber y los saldos en el haber en signo negativo, por tanto, para el usuario de contabilidad no es ajeno el hecho de referirse a un saldo como positivo o negativo en función de si es deudor o acreedor, respectivamente.

En la contabilidad triangular también puede construirse un balance de comprobación de sumas y saldos, y que muestre el total de movimientos, y que estos a su vez cuadren.

Para este propósito el balance de comprobación de la contabilidad triangular presenta dos particularidades respecto al balance de sumas y saldos tradicional:

- Las cuentas de flujos con movimientos en positivo y los saldos positivos se registrarán en las columnas de los debes, y las cuentas de flujos con movimientos en negativo y los saldos negativos se registrarán en las columnas de los haberes. (Dicha clasificación resulta familiar y fácilmente identificable para los usuarios contables). Las cuentas de flujo se registran y se ordenan tras el registro de las cuentas patrimoniales y de resultados de la contabilidad de partida doble.

- Se mostrarán dos líneas de subtotales: por un lado, el subtotal en signo contrario de las cuentas del grupo 57, y por otro lado el subtotal con signo contrario de las cuentas de resultados, es decir, de los grupos 6 y 7, a excepción de la cuenta 630 del impuesto sobre beneficios. El signo contrario se refiere a que el saldo y el movimiento acumulado se presenten en la columna que les corresponde, pero en signo contrario al resultado, es decir, si el saldo total de las cuentas del grupo 57 o sus movimientos acumulados son de debe, estos se registran en la columna debe, pero se presentan con signo negativo (y viceversa). Por otro lado, si el saldo de las cuentas de resultados o sus movimientos acumulados son de haber, estos se registran en las columnas de haber, pero con signo positivo (y viceversa).

Por tanto, el subtotal del grupo 57 se denominará: — **Subtotal del grupo 57** (identificando un signo negativo delante), y al subtotal de los grupos 6 y 7 se denominará: — **Subtotal de los grupo 6 y 7**, excepto la cuenta 630 (también con un signo negativo que le preceda).

Por último, se mostrará el total del balance, donde se sumarán los movimientos acumulados, los saldos y los movimientos netos de las cuentas, tanto de flujo como patrimoniales, y los subtotales del grupo 57 y de los grupos 6 y 7. Los totales de las columnas de debe y haber, tanto para saldos como para los acumulados coincidirán. La suma de la columna de movimientos del periodo, tal como ocurre con el balance de comprobación de la contabilidad de partida doble, será igual a cero.

Para una mejor comprensión, retomamos los datos del ejemplo anterior para construir el balance de comprobación de la contabilidad triangular incorporando al balance de comprobación la cuenta de flujo A03b0 Cambios capital corriente, deudores y otras cuentas a cobrar, y su movimiento de –7.000,00 u.m. Este, al tratarse de un movimiento en negativo se registra en la columna de haber del periodo, y como su saldo también es negativo, (solo ha habido este movimiento en el periodo) se registra en la columna del haber del saldo final. También se registra como movimiento del periodo –7.000,00 u.m., ya que solo presenta este movimiento.

Tal como puede verse en el balance de comprobación de más abajo, se ha incorporado una fila más que registra la cuenta de flujo A03b0 (si existieran más cuentas se incorporarían siguiendo el mismo procedimiento).

También se han añadido dos filas por los subtotales de las cuentas del grupo 57 y las de los grupos 6 y 7:

a.- Los subtotales de las cuentas del grupo 57, al solo existir una cuenta en el ejemplo, la 572 Bancos, coinciden con el movimiento de esta y con su saldo, y se registran en la columna correspondiente del debe, pero con signo negativo. Si existiesen más cuentas del grupo 57 estas se sumarían en esta fila de subtotal.

b.- Los subtotales de las cuentas de los grupos 6 y 7, al existir una única cuenta en el ejemplo, la 705 Prestación de Servicios, coinciden con el movimiento que se ha producido en la cuenta y con su saldo, y se reflejan en la columna del haber, pero con signo positivo. Si existiesen más cuentas de resultados, estas se agregarían en este subtotal.

Al final se muestra el total del balance de comprobación, donde la suma de los movimientos acumulados del debe será igual a los del haber, la suma de los saldos del debe será igual a la suma de los saldos del haber, y la suma de los movimientos del periodo será cero.

El balance de comprobación de sumas y saldos quedará como sigue:

Balance comprobación contabilidad triangular

Cuenta	Saldo anterior	Acumulado periodo		Saldo final		Movimiento periodo
		Debe	Haber	Debe	Haber	
430 Clientes	0	7.000,00	-	7.000,00	-	+7.000,00
572 Bancos	0	3.000,00	-	3.000,00	-	+3.000,00
705 Prestación de servicios	0	-	–10.000,00	-	–10.000,00	–10.000,00
A03b0 Deudores y otras ctas.	*0*	*-*	*–7.000,00*	*-*	*–7.000,00*	*–7.000,00*
– Subtotal Grupo 57	0	–3.000,00	0	–3.000,00	0	– 3.000,00
– Subtotal Grupos 6 y 7	0	0	+10.000,00	0	+10.000,00	+10.000,00
TOTAL BALANCE COMPROBACIÓN	0	+7.000,00	–7.000,00	+7.000,00	–7.000,00	0,00

Como puede apreciarse, el balance de comprobación de la contabilidad triangular mantiene la misma estructura y cuadre que el balance de sumas y saldos tradicional, mostrando la misma información respecto a las cuentas patrimoniales y de resultados, y añadiendo información sobre las cuentas de flujo, a la vez que permite corroborar que tanto los asientos de la contabilidad de partida doble como los asientos de la contabilidad triangular están cuadrados. El total de las columnas debe y haber del acumulado del periodo coinciden en 7.000,00 u.m., el total de las columnas del saldo final del debe y el haber coinciden en 7.000,00 u.m., y el total de la columna de movimientos del periodo es igual a cero. Por tanto, el balance de comprobación está cuadrado.

Para una mejor visualización, puede presentarse el balance de comprobación separando por subtotales las cuentas que pertenecen a la contabilidad de partida doble y las cuentas de flujo, tal como se estructura en el siguiente balance de comprobación. Se muestra como si se tratara de dos balances de comprobación independientes, por lo que también sería posible presentar dos balances de comprobación de forma separada, pero se perdería la visión conjunta de la contabilidad triangular.

Balance de comprobación de la contabilidad triangular por subtotales

Cuenta	Saldo anterior	Acumulado periodo		Saldo final		Movimiento periodo
		Debe	Haber	Debe	Haber	
430 Clientes	0	7.000,00	-	7.000,00	-	+7.000,00
572 Bancos	0	3.000,00	-	3.000,00	-	+3.000,00
705 Prestación de servicios	0	-	−10.000,00	-	−10.000,00	−10.000,00
SUBTOTAL BALANCE (1)Subtotal	**0**	**10.000,00**	**-10.000,00**	**10.000,00**	**-10.000,00**	**0,00**
A03b0 Deudores y otras ctas.	*0*	*-*	*−7.000,00*	*-*	*−7.000,00*	*−7.000,00*
− Subtotal Grupo 57	**0**	**−3.000,00**	**0**	**−3.000,00**	**0**	**− 3.000,00**
− Subtotal Grupos 6 y 7	**0**	**0**	**+10.000,00**	**0**	**+10.000,00**	**+10.000,00**
SUBTOTAL BALANCE (2)	**0**	**−3.000,00**	**+3.000,00**	**−3.000,00**	**+3.000,00**	**0,00**
TOTAL BALANCE COMPROBACIÓN	**0**	**+7.000,00**	**−7.000,00**	**+7.000,00**	**−7.000,00**	**0,00**

El Subtotal balance (1) muestra el total del balance de comprobación de las cuentas de partida doble, y el Subtotal balance (2) suma el total del balance de comprobación de las cuentas de flujo. El total balance de comprobación agrega los dos subtotales anteriores.

Además de la corroboración del cuadre, el balance de comprobación permite visualizar el movimiento que han tenido las cuentas, incluidos los movimientos de las cuentas de flujo, por lo que proporciona información útil y valiosa tanto para los usuarios internos para analizar la evolución y traspaso de fondos, como para los externos en cuanto a auditorías y controles.

Llegados a este punto, es necesario mencionar la sencillez que resulta construir un balance de comprobación de la contabilidad triangular, simplemente añadiendo las cuentas de flujo y los subtotales de los grupos 57 y los subtotales de grupos 6 y 7, por lo que cualquier contable con conocimientos de elaboración de hojas de cálculo puede estructurarlo con relativa facilidad. De la misma forma, cualquier sistema de información contable puede reprogramarse sin excesiva dificultad para que muestre, incluso de forma opcional, el balance de comprobación de la contabilidad triangular.

RELACIONES CONTABLES: PRINCIPIOS BÁSICOS DE REGISTRO DE LAS CUENTAS DE FLUJO

Los principios básicos de registro de los movimientos de flujos se demuestran a través del desarrollo de la ecuación básica de contabilidad, ACTIVO − PASIVO = patrimonio neto, hacia la igualdad del principio de contabilidad triangular y que permite el cuadre del estado de flujos de efectivo, o el cuadre a nivel de asiento, desarrolladas en el capítulo relativo al cuadre de las cuentas de flujo. A modo de recordatorio dicha igualdad se expresa de la siguiente manera:

RESULTADOS + FLUJOS DE ACTIVIDADES = MOVIMIENTO DE TESORERÍA[21]

En donde,

Los **RESULTADOS** son los resultados del periodo antes de impuestos. A nivel de asiento se refiere a los movimientos de las cuentas de los grupos 6 y 7 del Plan General Contable, y al tratarse de los resultados antes de impuestos, se excluye la cuenta 630 de impuestos sobre beneficios.

Los **FLUJOS DE ACTIVIDADES** son los flujos de efectivo de las actividades de explotación, inversión y financiación que se han producido durante el periodo y los efectos de las variaciones de los tipos de cambio. A nivel de asiento agrupa las cuentas de flujo.

Y el **MOVIMIENTO DE TESORERÍA** es la variación que se ha producido durante el periodo en las cuentas de tesorería (efectivo y equivalente de efectivo). A nivel de cuentas se toman las cuentas del grupo 57 del Plan General Contable.

---

[21] Nótese que la igualdad puede ordenarse de forma distinta, atendiendo a la propiedad conmutativa de la suma aritmética: RESULTADOS − MOVIMIENTO CAJA = CUENTAS DE FLUJO o RESULTADOS − MOVIMIENTO DE CAJA + CUENTAS DE FLUJO = 0, etc.

Para facilitar el desarrollo de la igualdad, tomamos las siguientes abreviaturas:

RTDO. como las cuentas del grupo 6 y 7 del plan contable (excluyendo la cuenta 630).

CF como las cuentas de flujo.

CAJA como las cuentas de tesorería del grupo 57 del plan contable.

Por tanto, la igualdad básica de la contabilidad triangular quedará como:

$$RTDO + CF = CAJA$$

El desarrollo es el siguiente:

Tomemos el subíndice 0 como el periodo inicial, y el subíndice 1 como el periodo final, entonces tenemos que la igualdad del cuadre del asiento triangular se representa:

$$RTDO_{1-0} + CF_{1-0} = CAJA_{1-0}$$

Donde,

$RTDO_{1-0}$ es el resultado del ejercicio del periodo final menos el periodo inicial (si el periodo inicial es igual a 0, como sucede al inicio del ejercicio contable, el **$RTDO_{1-0}$** será el resultado final del periodo del ejercicio analizado);

CF_{1-0} es el incremento neto de los movimientos de flujo del periodo 0 al periodo 1, es decir, el saldo de ese periodo, y

$CAJA_{1-0}$ es el movimiento de caja neto (incluyendo el equivalente de efectivo) del periodo 0 al periodo 1, es decir, el saldo de caja que presentan las cuentas para ese periodo. y por otro lado, tenemos la ecuación básica de la contabilidad, siendo A el activo, P el pasivo y PN el patrimonio neto, podemos definir:

$$A_0 - P_0 = PN_0 \text{ para el periodo inicial, y}$$

$A_1 - P_1 = PN_1$ para el periodo final.

Si tomamos las dos igualdades anteriores para el incremento de un determinado periodo, es decir, el periodo final menos el periodo inicial. Restando la primera igualdad del periodo inicial de la segunda igualdad del periodo final, tendremos que:

$$A_1 - A_0 - P_1 - (-P_0) = PN_1 - PN_0 \rightarrow A_1 - A_0 - P_1 + P_0 = PN_1 - PN_0$$

Si desglosamos el activo (**A**) en:

-caja (y equivalente efectivo), que recoge los movimientos de las cuentas del grupo 57 del plan de cuentas, denominándolo **CAJA**,

-y el resto de activo, denominado activo total sin caja (**Asc**),

si desglosamos el patrimonio neto (**PN**) en:

-resultados (**RTDO.**), que agrupa los movimientos de las cuentas del grupo 6 y 7 del cuadre de cuentas,

- y el resto del patrimonio neto (**PNR**),

y sustituimos los desgloses detallados en la ecuación anterior, tendremos que:

$$A_1 \quad - \quad A_0 \quad - \quad P_1 + P_0 = \quad PN_1 \quad - \quad PN_0$$

$$Asc_1 + CAJA_1 - (Asc_0 + CAJA_0) - P_1 + P_0 = RTDO_1 + PNR_1 - (RTDO_0 + PNR_0)$$

Si reordenamos los elementos de la igualdad, quedarán:

$$+ CAJA_1 - CAJA_0 + Asc_1 - Asc_0 - P_1 + P_0 = RTDO_1 - RTDO_0 + PNR_1 - PNR_0$$

De esta ecuación podemos deducir que:

$CAJA_1 - CAJA_0$ es el movimiento de caja (y equivalente de efectivo) del periodo, por tanto, podemos denominar como $CAJA_{1-0,}$ y recoge el movimiento que se ha producido en las cuentas del grupo 57 durante el periodo, y que coincide con la definición dada en la igualdad básica de la contabilidad triangular para este mismo elemento.

$\mathbf{RTDO_1 - RTDO_0}$ es el resultado del periodo, por tanto, puede denominarse $\mathbf{RTDO_{1\text{-}0}}$, y recoge los movimientos del periodo que se han producido en las cuentas del grupo 6 y 7 del cuadro de cuentas, y que es el mismo elemento que también presenta la igualdad básica de la contabilidad de partida triple.

Consecuentemente, podemos denominar al incremento neto del activo total sin caja, $\mathbf{Asc_{1\text{-}0}}$, al incremento neto del pasivo, $\mathbf{P_{1\text{-}0}}$, y al incremento neto del resto del patrimonio neto, $\mathbf{PNR_{1\text{-}0}}$. La ecuación queda de la siguiente manera:

$$\underbrace{+ CAJA_{1\text{-}0}}_{+ CAJA_1 - CAJA_0} \quad \underbrace{+ Asc_{1\text{-}0}}_{+ Asc_1 - Asc_0} \quad \underbrace{- \quad P_{1\text{-}0}}_{- P_1 + P_0} \quad = \quad \underbrace{RTDO_{1\text{-}0} +}_{RTDO_1 - RTDO_0} \quad \underbrace{PNR_{1\text{-}0}}_{+ PNR_1 - PNR_0}$$

Si reordenamos los elementos de la igualdad, aislando el movimiento de caja, tenemos que:

$$\mathbf{RTDO_{1\text{-}0} - Asc_{1\text{-}0} + P_{1\text{-}0} + PNR_{1\text{-}0} = CAJA_{1\text{-}0}}$$

De esta igualdad se deduce que el movimiento de caja del periodo es igual al resultado del periodo menos los incrementos de activo sin caja del periodo ($\mathbf{Asc_{1\text{-}0}}$) más los incrementos del pasivo ($\mathbf{P_{1\text{-}0}}$) y del resto de patrimonio neto del periodo ($\mathbf{PNR_{1\text{-}0}}$).

Si tomamos la ecuación básica de la contabilidad triangular:

$$\mathbf{RTDO_{1\text{-}0} + CF_{1\text{-}0} = CAJA_{1\text{-}0}}$$

Y agrupamos las dos igualdades en una, ya que ambas son iguales a $\mathbf{CAJA_{1\text{-}0}}$, tenemos que:

$$\underbrace{RTDO_{1\text{-}0} + CF_{1\text{-}0}}_{= CAJA_{1\text{-}0}} = \underbrace{RTDO_{1\text{-}0} - Asc_{1\text{-}0} + P_{1\text{-}0} + PNR_{1\text{-}0}}_{= CAJA_{1\text{-}0}}$$

De la anterior igualdad, aislamos las cuentas de flujo, quedará:

$$\mathbf{CF_{1\text{-}0}} = \mathbf{RTDO_{1\text{-}0}} - \mathbf{Asc_{1\text{-}0}} + \mathbf{P_{1\text{-}0}} + \mathbf{PNR_{1\text{-}0}} - \mathbf{RTDO_{1\text{-}0}}$$

y eliminado los elementos de signo contrario ($\mathbf{RTDO_{1\text{-}0}} - \mathbf{RTDO_{1\text{-}0}}$), el incremento y/o movimiento de las cuentas de flujo es igual a:

$$\mathbf{CF_{1\text{-}0}} = -\mathbf{Asc_{1\text{-}0}} + \mathbf{P_{1\text{-}0}} + \mathbf{PNR_{1\text{-}0}}$$

Por tanto, tal como muestra la igualdad, matemáticamente el incremento de los movimientos de flujos de efectivo ($\mathbf{CF_{1\text{-}0}}$) del periodo, y por extensión el de las cuentas de flujo, es igual a menos el incremento de las cuentas de activo sin tener en cuenta caja del periodo ($-\mathbf{Asc_{1\text{-}0}}$), más el incremento del movimiento de las cuentas de pasivo ($\mathbf{P_{1\text{-}0}}$) y más el incremento del movimiento de las cuentas de patrimonio neto ($\mathbf{PNR_{1\text{-}0}}$) del periodo.

Esta igualdad define cómo afectan a los movimientos de flujos de efectivo los movimientos que se producen en los elementos del balance, y de forma general, también describe los principios básicos de registro en las cuentas de flujo de los hechos contables atendiendo a su afectación en las cuentas del balance.

Por tanto, el movimiento de flujo se verá afectado por 5 principios básicos de registro en las cuentas de flujo que se detallan a continuación:

Principio primero:

Los incrementos de flujos se registrarán como positivos y los decrementos de flujo se asentarán como negativos.

Principio segundo:

El movimiento de flujo se verá afectado negativamente por el incremento de los activos (excluidos los movimientos de caja y equivalentes de efectivo), realizados en el periodo (y positivamente por los decrementos). Por tanto, cuando en un hecho contable se produzca un incremento de las partidas de activo, a la vez, supondrá un movimiento en negativo del movimiento de flujo.

Los incrementos de activo corriente (circulante) se asimilan a una reducción del flujo efectivo, al dejar de ingresar efectivo para financiar a clientes/deudores, por tanto, se registrarán como negativos. Los decrementos se asimilan a un incremento del flujo de efectivo, al considerar que se han cobrado las deudas, y por lo tanto se asentarán como positivos.

Como ejemplo podemos tomar la financiación facilitada a los clientes en una venta. El hecho contable supone un incremento de la partida de clientes (activo circulante) por el importe aplazado, por lo que se produce una reducción del movimiento del flujo, al dejar de obtener flujo de efectivo por esta operación. Por tanto, el movimiento en la cuenta de flujo se registrará en negativo.

$$\boxed{-Asc_{1-0}} + P_{1-0} + PNR_{1-0} = \text{Disminución } CF_{1-0}$$

Financiación a clientes

Los incrementos del activo no corriente (fijo) se registrarán en el flujo como un decremento (se supone una salida de efectivo), por lo tanto se asentarán en negativo. Las reducciones del activo no corriente se codificarán como un incremento de flujo.

Principio tercero:

El movimiento de flujo se verá afectado positivamente por el incremento de los pasivos realizados en el periodo (y negativamente por las reducciones). Por lo tanto, un hecho contable que implique un incremento de una cuenta de pasivo supondrá un aumento del movimiento de flujo de efectivo.

Los incrementos de pasivo corriente (circulante) se asimilan a un incremento de flujo de efectivo (ya que los proveedores/acreedores nos financian y no es necesaria una salida de caja), por tanto, se registrarán como flujos positivos. Las disminuciones de pasivo circulante se asimilan a una reducción del flujo de efectivo, al hacer frente al pago de las deudas. Por ejemplo, la financiación obtenida por un proveedor por una compra, que supone un incremento del pasivo circulante, y produce un aumento del flujo de efectivo al obtener mayor capacidad de flujo de efectivo por la financiación.

$$-Asc_{1-0} \boxed{+ P_{1-0}} + PNR_{1-0} = \text{Aumento } CF_{1-0}$$

Financiación de proveedores

Otro ejemplo sería la financiación para la adquisición de inmovilizado material. Por un lado, la financiación a través de un préstamo de una entidad de crédito, que se registra como un incremento de pasivo, supone una afectación positiva al flujo, es decir, un incremento del flujo de efectivo, al tener disponibles más recursos. Por otro lado, el mismo hecho contable registra un aumento del activo por la adquisición del inmovilizado material, y afecta negativamente al flujo, al suponer una disminución de los recursos. Por lo tanto, en el hecho contable de este ejemplo, aunque el efecto global sobre el flujo de efectivo es neutro o nulo, se producen dos movimientos de flujos de signo contrario, y, por lo tanto, se verán afectadas dos cuentas de flujos distintas[22].

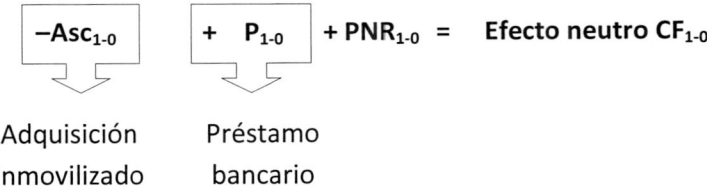

$$\boxed{-Asc_{1-0}} \quad \boxed{+ \ P_{1-0}} + PNR_{1-0} = \text{Efecto neutro } CF_{1-0}$$

Adquisición   Préstamo
inmovilizado   bancario

Los incrementos del pasivo no corriente (fijo) se registrarán como un incremento del flujo (se supone una entrada de efectivo), mientras que los decrementos se codificarán como una salida del flujo, en negativo.

<u>Principio cuarto</u>:

El movimiento de flujo se verá afectado positivamente por el incremento del patrimonio neto (excluidos los resultados) realizado durante el periodo (y negativamente por los decrementos). De esta forma, un hecho contable que implique un incremento de las cuentas que se agrupan en el patrimonio neto implicará un incremento de los flujos de efectivo. Como ejemplo, una ampliación de capital, que, aunque no esté totalmente desembolsada, supone una mayor capacidad de flujo, por lo que se incrementa el flujo de efectivo.

---

[22] El efecto neto en el estado de flujos de efectivo también es neutro a nivel general, pero no en sus distintos epígrafes.

$$-\text{Asc}_{1-0} \; + \text{P}_{1-0} \; \boxed{+ \, \text{PNR}_{1-0}} \; = \; \text{Aumento CF}_{1-0}$$

Aumento de capital

Principio quinto:

Como último principio básico de registro en las cuentas de flujo, de la igualdad se deduce que el movimiento de flujo efectivo no se verá afectado por los movimientos de caja ni equivalentes de efectivo, ni directamente por los resultados, aunque estos últimos sí que afectan al estado de flujos de efectivo, a través de su registro en el grupo A), en el epígrafe 1.Resultado del ejercicio antes de impuestos. Como puede apreciarse en la expresión matemática, no aparecen los movimientos de caja: aparece el activo sin caja (**Asc**), y el resto de patrimonio neto (**PNR**), que excluye los resultados ($\text{CF}_{1\text{-}0} = -\text{Asc}_{1\text{-}0} + \text{P}_{1\text{-}0} + \text{PNR}_{1\text{-}0}$).

La norma 9.ª de elaboración de las cuentas anuales del Real Decreto 1514/ 2007, de 16 de noviembre, por el que se aprueba el Plan General de Contabilidad, define los equivalentes de efectivo: "Se entiende por efectivo y otros activos líquidos equivalentes, los que como tal figuran en el epígrafe B.VII del activo del balance, es decir, la tesorería depositada en la caja de la empresa, los depósitos bancarios a la vista y los instrumentos financieros que sean convertibles en efectivo y que en el momento de su adquisición, su vencimiento no fuera superior a tres meses, siempre que no exista riesgo significativo de cambios de valor y formen parte de la política de gestión normal de la tesorería de la empresa". Por tanto, y como ejemplo, un traspaso de la cuenta de caja (570) a la cuenta de bancos (572) no afectará al movimiento de flujo de efectivo, ya que, per se, es un movimiento de efectivo, y no implica ni un origen ni una aplicación de fondos.

Como excepción y por adaptación a la presentación del estado de flujos de efectivo por el método indirecto, sí que deberán registrarse en las cuentas de flujo aquellos movimientos en resultados que no afectan a caja y que se denominan ajustes del resultado (como las amortizaciones, provisiones, depreciaciones, etc.)[23]. La razón de su contabilización es por el hecho de que aparecen en epígrafes

---

[23] En el estado de flujos de efectivo se citan como Ajustes del resultado: amortizaciones, correcciones valorativas, variación provisiones, resultados por bajas y enajenaciones de inmovilizado e instrumentos financieros, ingresos y gastos financieros, variación del valor razonables de instrumentos financieros, y, por último, otros ingresos y gastos.

del Estado estos conceptos, y, por lo tanto, deben plasmarse en las cuentas de flujo para poder obtener información de ellos.

Para los ajustes del resultado se pueden tomar dos criterios para su registro:

1.- Se registrarán siguiendo el mismo criterio que el resto de cuentas de flujo respecto a si responden a movimientos que afectan a incrementos/decrementos del activo/pasivo. Por ejemplo, una amortización afecta indirectamente a una disminución del activo no corriente (la cuenta de amortización acumulada se presenta restando en el activo corriente), por tanto, se asimila a un decremento de activo, y, por tanto, se registrará la cuenta de flujo en positivo.

$$-Asc_{1-0} + P_{1-0} + PNR_{1-0} = \text{Aumento } CF_{1-0}$$

Amortización

Intuitivamente puede apreciarse que una dotación de una amortización (y por analogía otros ajustes de resultados) conlleva implícito un movimiento de flujo. La dotación se registra como un coste, pero no implica una salida real de efectivo, por lo que la empresa tiene disponible el flujo de efectivo por valor de ese importe. Aunque en su cuenta de resultados muestre un apunte en negativo, la amortización repercute en una disponibilidad de fondos, que en principio debe destinarse a la restitución del activo amortizado una vez transcurrida su vida útil, y, por lo tanto, se produce un incremento en el movimiento de flujos.

2.- El otro criterio que puede tomarse para el registro de los ajustes de resultados en las cuentas de flujo es simple: serán positivos los movimientos de ajustes de resultados que afecten a la cuenta de resultados como pérdidas, y serán negativos si afectan a la cuenta de pérdidas y ganancias como ingresos o beneficios.

A modo de resumen, al movimiento de flujo de efectivo le afectarán aquellos hechos contables que supongan afectación al activo (excluyendo las cuentas de caja y equivalentes de efectivo), al pasivo y al patrimonio neto (excluyendo el resultado). Dicho de otro modo, todo hecho contable implica directa o indirectamente, a través de la cuenta de resultados, un movimiento en los flujos de efectivo de la empresa, excepto los hechos contables que únicamente afecten a efectivo o equivalentes de efectivo.

DEFINICIONES Y RELACIONES CONTABLES DE LAS CUENTAS DE FLUJO

Seguidamente se desarrollan las definiciones y relaciones contables de las cuentas de flujo, recogiendo las características generales y los hechos contables que afectan a las mismas, ordenadas por grupos, epígrafes y partidas. Se trata de la parte más teórica que presenta el libro, pero necesaria para una visión y conocimiento completo de la contabilidad triangular.

Las relaciones contables, al igual que ocurre con el Nuevo Plan General Contable, describen, de una forma no exhaustiva y con carácter general, los criterios de incremento o decremento de los movimientos de flujo en sus respectivas cuentas. La pretensión no es detallar unas relaciones obligatorias ni sentar normativa, sino presentar unas bases y/o criterios generales para el registro de los movimientos de flujos, que permitan de forma intuitiva y coherente hacer frente al registro de los hechos contables más comunes que se producen en el devenir diario de las empresas.

GRUPO A) FLUJOS DE EFECTIVO DE LAS ACTIVIDADES DE EXPLOTACIÓN

Comprenden los movimientos de flujo de efectivo provocados por las operaciones de explotación, es decir, aquellas que han sido ocasionadas por la actividad principal de la empresa y que constituyen su fuente principal de ingresos, por lo que es necesario considerar cuál es dicha actividad principal, ya que de ella depende la generación de recursos suficientes para llevar a cabo la explotación de la empresa, y la generación de excedentes para las otras actividades de financiación e inversión. En este grupo también se recogen aquellos movimientos de flujo que no pueden clasificarse en los grupos de inversión y financiación. La NIC 7 describe diversos ejemplos de los flujos de efectivo de las actividades de explotación, a saber:

(a) cobros procedentes de las ventas de bienes y prestación de servicios;

(b) cobros procedentes de regalías, cuotas, comisiones y otros ingresos ordinarios;

(c) pagos a proveedores por el suministro de bienes y servicios;

(d) pagos a empleados y por cuenta de los mismos;

(e) cobros y pagos de las empresas de seguros por primas y prestaciones, anualidades y otras obligaciones derivadas de las pólizas suscritas;

(f) pagos o devoluciones de impuestos sobre las ganancias, a menos que estos puedan clasificarse específicamente dentro de las actividades de inversión o financiación; y

(g) cobros y pagos derivados de contratos que se tienen para intermediación o para negociar con ellos.

Epígrafe 2. Ajustes del resultado

En este epígrafe se registran los movimientos de flujo que, impactando en la cuenta de pérdidas y ganancias, tienen como denominador común que no suponen una salida ni entrada real de efectivo.

Cuentas:

A02a0   Ajuste Resultado. Amortización inmovilizado

En esta cuenta se registran aquellos movimientos de flujo producidos por la dotación del inmovilizado de la empresa, tanto material como inmaterial.

Se incrementará el flujo de efectivo cuando se realice una dotación de amortización. El movimiento natural de esta cuenta será normalmente positivo, ya que la dotación siempre afecta como coste a la cuenta de pérdidas y ganancias.

A02b0   Ajuste Resultado. Correcciones valorativas por deterioro

El movimiento de esta cuenta de flujo será el siguiente:
- Incrementará cuando se realice una corrección valorativa por deterioro que conlleve una disminución del valor de los activos.
- Decrementará cuando revierta la situación que provocó la disminución de valor de los activos, ya sea porque desparezcan las causas que determinaron el deterioro, o por la enajenación del activo.

A02c0   Ajuste Resultado. Variación provisiones

Esta cuenta de flujo recogerá los movimientos de flujo ocasionados por las obligaciones, expresas o tácitas, indeterminadas en cuanto a su importe exacto o en la fecha en que se producirán y que han impactado o impactarán con alta probabilidad en la cuenta de resultados. El movimiento de flujo incrementará cuando se dote una provisión y disminuirá cuando se revierta la dotación.

A02d0   Ajuste Resultado. Imputación de subvenciones

El movimiento de decremento en esta cuenta de flujo se registrará cuando se produzca la imputación en la cuenta de pérdidas y ganancias de la subvención recibida.

El movimiento natural de esta cuenta normalmente será negativo, ya que según la nueva normativa contable las subvenciones se califican como ingresos contabilizados, con carácter general, que se imputarán en la cuenta de pérdidas y ganancias atendiendo a su finalidad. Como se registran como ingreso, el movimiento en las cuentas de flujo será en negativo.

Otra forma de explicar el movimiento es a través de su afectación al balance: las subvenciones, hasta que no cumplan las condiciones estipuladas para considerarlas como tal, deben permanecer en el pasivo. Luego, en el momento en que cumplan las condiciones, disminuirán el pasivo, para abonarse a resultados o patrimonio neto, en función de la tipología de la subvención o la donación. Por tanto, estamos ante una disminución del pasivo, que implica un movimiento negativo en las cuentas de flujo.

A02e0   Ajuste Resultado. Resultados del inmovilizado

En esta cuenta se registrarán los movimientos de flujo provocados por las bajas y enajenaciones que se hayan producido en el inmovilizado, tanto si producen beneficios, cuyo registro será negativo en la cuenta de flujo, como si producen pérdidas, cuyo registro será positivo en la cuenta de flujo, independientemente de si la enajenación ha tenido un pago en efectivo o no.

A02f0   *Ajuste Resultado. Resultados de instrumentos financieros*

En esta cuenta se registrarán los movimientos de flujo provocados por las bajas y enajenaciones que se hayan producido en los instrumentos financieros, tanto si producen beneficios, cuyo registro será negativo en la cuenta de flujo, como si producen pérdidas, cuyo registro será positivo en la cuenta de flujo, independientemente de si la enajenación ha tenido un pago en efectivo o no.

A02g0   *Ajuste Resultado. Ingresos financieros*

En esta cuenta se registran en negativo los movimientos de flujos provocados por ingresos financieros que se hayan devengado en el periodo, independientemente de si se han abonado efectivamente o no.

A02h0   *Ajuste Resultado. Gastos financieros*

En esta cuenta, de movimiento natural positivo, se registran los movimientos de flujos provocados por los gastos financieros que se hayan devengado en el periodo, con independencia de si se ha producido el desembolso.

A02i0   *Ajuste Resultado. Diferencias de cambio*

En esta cuenta se registran los movimientos de flujo, tanto de incremento como decremento, que se han registrado como ingresos o gastos de diferencias de cambio en las cuentas de resultados. Las pérdidas o ganancias por diferencias de cambio no realizadas no producen una salida o entrada real de efectivo, pero producen un efecto de variación en los activos o pasivos registrados en moneda extranjera, por lo que es necesario registrar dicho movimiento de flujo producto de esa variación. Los ingresos por diferencias de cambio se registran en esta cuenta en negativo cuando se trate de una variación de tipo de cambio provocada por un incremento de activo o una disminución de pasivo. Cuando se trate de una disminución de activo o un aumento de pasivo, provocado por una diferencia de cambio, los gastos por diferencias de cambio se registran en esta cuenta como incremento (o en signo positivo).

A02j0   *Ajuste Resultado. Variación valor razonable instrumentos financieros*

En esta cuenta se registran las variaciones de valor que se han producido en los valores razonables de los instrumentos financieros, cuya variación deba registrarse en la cuenta de pérdidas y ganancias: básicamente, los instrumentos clasificados en las categorías de "Activos/pasivos financieros mantenidos para negociar" y "Otros activos/pasivos financieros a valor razonable con cambios en la cuenta de pérdidas y ganancias".

La variación producida por los cambios de valoración de los instrumentos clasificados en las anteriores categorías no supone una salida real de efectivo, pero sí un movimiento de flujo que afecta a las partidas de activo o pasivo donde se registran dichos instrumentos. Por ejemplo, un incremento en la valoración de un instrumento clasificado en el activo en una de las dos categorías anteriormente mencionadas supone un incremento de activo, por lo que afectará negativamente a esta cuenta de flujo (y a la vez supone un registro de un ingreso en la cuenta de pérdidas y ganancias).

A02k0   Ajuste Resultado. Otros ingresos y gastos

En esta cuenta se registran aquellos ingresos y gastos que afecten a la cuenta de resultados, que no estén recogidos en ninguna de las anteriores cuentas de este epígrafe 2. Ajustes de resultados, y que cumplan con el requisito de que no supongan, considerando el hecho aisladamente, una salida o entrada de efectivo en caja, en consonancia con las casuísticas de las cuentas descritas pertenecientes al epígrafe 2. Ajustes de resultados.

Aquí tienen cabida, por ejemplo, las remuneraciones obtenidas por las actividades de inversión, que se reflejan en las cuentas del grupo de los flujos de efectivo de las actividades de inversión, y deben ajustarse en el resultado. Como se detalla más adelante, la NIC 7, en su párrafo 31, señala que deben ser presentados de forma separada los intereses y dividendos que formen parte de las actividades de explotación, inversión o financiación.

Epígrafe 3.Cambio en el capital corriente

Las cuentas que se desarrollan en este epígrafe reflejan la diferencia entre la corriente real de efectivo consecuencia de los bienes y servicios que presta la empresa, dentro de su actividad ordinaria de explotación, respecto a la corriente de flujos de esas mismas transacciones, y que principalmente están relacionadas con las cuentas del activo y el pasivo corriente del balance.

Cuentas:

A03a0   *Cambios capital corrientes. Existencias*

En esta cuenta de flujo se registran las variaciones de valoración y los movimientos que se han producido en las existencias de la sociedad, es decir, en las cuentas de Existencias que se recogen en el epígrafe II. Existencias del activo corriente del balance de situación.

A03b0   *Cambios capital corrientes. Deudores y otras cuentas a cobrar*

En esta cuenta se reflejan los movimientos de flujos que se produzcan por las operaciones ordinarias de explotación relacionadas con clientes y deudores comerciales, y que afectan a hechos contables que se registran principalmente en las partidas 1.Clientes por ventas y prestaciones de servicios, 2.Clientes, empresas del grupo y asociadas, y 3.Deudores varios, del epígrafe III. Deudores comerciales y otras cuentas a cobrar, del activo corriente del balance.

Los hechos contables con movimientos incrementales en las partidas se registran como negativos, ya que representan disminuciones en los movimientos de flujo, como por ejemplo la financiación que se otorga a los clientes por el aplazamiento de los cobros, y los hechos contables con movimientos que suponen una disminución de las partidas se registran como positivos, ya que suponen una entrada o incremento del movimiento del flujo.

A03c0   *Cambios capital corrientes. Otros activos corrientes*

En esta cuenta se registran los movimientos de flujos de efectivos de aquellos hechos contables relacionados con activos corrientes que no se registran en las dos partidas anteriores.

Aquí se registran, por ejemplo, los movimientos de flujo provocados por los hechos contables relacionados con las deudas con el personal y con las administraciones públicas, que se registran en las partidas 4.Personal y 6.Otros Créditos con las Administraciones Públicas, del epígrafe III. Deudores comerciales y otras cuentas a cobrar, del activo corriente del balance.

Cabe destacar que aquí se registran las variaciones producidas en el movimiento de flujo por el impuesto del Valor Añadido (IVA) sujetas a operaciones ordinarias de explotación, básicamente IVA soportado. Los movimientos del IVA relacionados con operaciones de inversión o financiación se registran en otras cuentas de flujo dentro de los respectivos grupos de inversión o financiación. Gracias a la contabilidad triangular, el registro de los movimientos de flujo para cada hecho contable permite separar fácilmente los impuestos relacionados con operaciones de explotación, de los relacionados con operaciones de inversión o financiación, con lo que se aporta valor a la información reflejada en el estado de flujos de efectivo[24].

Al tratarse de un impuesto indirecto, la empresa realiza la función de intermediaria del IVA, de tal forma que la diferencia entre el IVA repercutido y el soportado en las diferentes operaciones gravadas por el impuesto genera un movimiento de flujo de efectivo, ya que su liquidación puede realizarse en el mismo ejercicio o en el siguiente, ya que su pago acostumbra a ser trimestral (o mensual).

A03d0   *Cambios capital corrientes. Acreedores y otras cuentas a pagar*

En esta cuenta se reflejan los movimientos de flujos que se produzcan por las operaciones ordinarias de explotación relacionadas con proveedores y acreedores comerciales, y que afectan a hechos contables que se registran principalmente en las partidas 1.Proveedores, 2.Proveedores, empresas del grupo y asociadas, y 3.Acreedores varios, del epígrafe V. Acreedores comerciales y otras cuentas a pagar, del pasivo corriente del balance.

Los hechos contables con movimientos incrementales en las partidas se registran como positivos, ya que representan aumentos o entradas en los movimientos de flujo, como por ejemplo la financiación que nos facilitan los proveedores por el aplazamiento de los pagos, y los hechos contables con movimientos que suponen una disminución de las partidas se registran como negativos, ya que suponen una salida o reducción del movimiento del flujo.

---

[24] Actualmente para discernir entre operaciones de financiación, explotación e inversión es necesario acudir a información extracontable, y en muchas ocasiones, para evitar complejidad en la elaboración del estado de flujos de efectivo, todas las variaciones relacionadas con el impuesto del Valor Añadido se reflejan en el grupo A) de flujos de efectivo de las actividades de explotación, distorsionando la información real y fiel presentada en dicha partida.

A03e0   Cambios capital corrientes. Otros pasivos corrientes

En esta cuenta se registran los movimientos de flujos de efectivos de aquellos hechos contables relacionados con pasivos corrientes que no se registran en la partida anterior.

Aquí se registran, por ejemplo, los movimientos de flujo provocados por los hechos contables relacionados con las remuneraciones pendientes de pago al personal, y con las deudas a las administraciones públicas, que se registran en las partidas 4.Personal y 6.Otras deudas con las Administraciones Públicas, del epígrafe V. Acreedores comerciales y otras cuentas a cobrar, del pasivo corriente del balance.

Simétricamente a lo que ocurre con el IVA soportado, se registran en esta cuenta las variaciones producidas en el movimiento de flujo por el impuesto del Valor Añadido (IVA) sujetas a operaciones ordinarias de explotación, básicamente IVA repercutido, que suponen una entrada de flujo por la financiación facilitada por la administración hasta la liquidación del impuesto, por lo que se registran en positivo.

A03f0   Cambios capital corrientes. Otros activos y pasivos no corrientes

En esta cuenta de flujo se registran aquellos hechos contables relacionados con operaciones ordinarias de explotación, con carácter corriente, y que no tengan cabida en ninguna de las cuentas detalladas anteriormente del epígrafe II. Cambios en el capital corriente.

Epígrafe 4. Otros flujos de efectivo de las actividades de explotación

En las cuentas de flujo clasificadas en este epígrafe se registran los movimientos de flujo producidos por las remuneraciones de activos y pasivos financieros, siempre que correspondan a hechos contables por operaciones categorizadas como actividades de explotación y los movimientos de flujo procedentes del impuesto de beneficios.

Se ha producido mucha discusión en cuanto a la clasificación del cobro y pago de intereses, y del cobro de dividendos, dentro del grupo de actividades de explotación. La NIC 7 permite la presentación por separado de los intereses y dividendos en función de si forman parte de actividades de explotación, inversión o financiación.

El PGC, en su norma 9.ª de elaboración del estado de flujos de efectivo, agrupa estos movimientos de flujos como actividades de explotación, con el objetivo de permitir una mayor comparabilidad entre empresas, en detrimento del reflejo fiel de la procedencia de los flujos de intereses y dividendos. El PGC solo clasifica como actividades de financiación el pago de dividendos.

La contabilidad triangular ofrece un tratamiento de los intereses y dividendos más depurado, ya que permite clasificar desde el mismo hecho contable el origen de los mismos, identificando los que pertenecen a operaciones de explotación, de inversión o de financiación. Por tanto, la contabilidad triangular para este tipo de hechos contables no seguirá la clasificación ofrecida por el PGC, en pro de una mayor calidad y fidelidad de la información facilitada, y se acogerá a lo que establece la NIC 7 en su párrafo 31: "Los flujos de efectivo correspondientes tanto a los intereses recibidos y pagados, como a los dividendos percibidos y satisfechos, deben ser revelados por separado. Cada una de las anteriores partidas debe ser clasificada de forma coherente, en cada ejercicio, como perteneciente a actividades de explotación, de inversión o de financiación".

De todas formas, aquellos contables o usuarios de la información que no compartan esta opinión pueden utilizar, para todos los flujos procedentes de los pagos y cobros de intereses y de los cobros de dividendos, las cuentas que se detallan a continuación, respetando de esta manera la clasificación y agrupación que dictamina el PGC para la elaboración del estado de flujos de efectivo.

A04a0   Otros flujos de explotación. Pagos de intereses

En esta cuenta de flujo se recogerán los movimientos producidos por los pagos de intereses relacionados con las actividades de explotación. El movimiento en esta cuenta se registra en negativo, ya que se trata de una salida de flujo.

A04b0   Otros flujos de explotación. Cobros de dividendos

Los flujos procedentes de cobros por participación en instrumentos de capital se registran en esta cuenta, siempre y cuando pertenezcan a operaciones corrientes de explotación. El movimiento de esta cuenta siempre será positivo al considerarse una entrada de flujo.

A04c0   *Otros flujos de explotación. Cobros de intereses*

En esta cuenta de flujo se recogerán los movimientos provenientes de las remuneraciones de activos vinculados a las actividades de explotación. El movimiento en esta cuenta se registra en positivo, al tratarse de una entrada de flujo.

A04d0   *Otros flujos de explotación. Cobros/Pagos impuesto por beneficios*

En esta cuenta de explotación se registran los movimientos de flujo, positivos y negativos, procedentes del pago o cobro del impuesto por beneficios, ya que su tratamiento se asimila a los flujos como de explotación, a no ser que pueda relacionarse específicamente con actividades de inversión o financiación.

La contabilidad triangular va a permitir identificar los flujos en función de su origen, pero en este libro, para evitar una excesiva complejidad en su tratamiento, se tomarán los pagos y cobros por el impuesto de beneficios como actividades de explotación[25].

Los movimientos por pagos de impuestos se registran en negativo, y los de cobro se asientan en positivo.

A04e0   *Otros flujos de explotación. Otros pagos/cobros*

En esta cuenta de flujo se registran aquellos movimientos de flujo derivados de hechos contables donde intervienen cobros y pagos relacionados con las actividades de explotación y que no se clasifiquen en ninguna de las cuentas anteriores pertenecientes al grupo de actividades de explotación.

Los movimientos se registran en positivo si corresponden a una entrada de movimiento de flujo, y en negativo los correspondientes a los movimientos de salida de flujo.

---

[25] El tratamiento de la contabilidad triangular respecto al registro de los movimientos de flujo procedentes del impuesto de beneficio podrá identificar en cada hecho contable si pertenecen a actividades de explotación, financiación o inversión, pero sería necesario un desarrollo específico, que dada su complejidad y extensión se omite, evitando de esta forma dar al presente trabajo un exceso de dificultad, que lo alejaría de la pretensión de dar una primera perspectiva global de la contabilidad triangular.

Grupo B) FLUJOS DE EFECTIVO DE LAS ACTIVIDADES DE INVERSION

En este grupo se engloban las cuentas de flujo que registran los movimientos de flujo de efectivo derivados de las operaciones categorizadas como actividades de inversión. Las actividades de inversión, bajo la perspectiva de los flujos, se definen como aquellas actividades que recogen los flujos producidos en la adquisición o enajenación de activos no corrientes.

La norma 9.ª de elaboración del estado de flujo de efectivos los define como: "Los pagos que tienen su origen en la adquisición de activos no corrientes y otros activos no incluidos en el efectivo y otros activos líquidos equivalentes, tales como inmovilizados intangibles, materiales, inversiones inmobiliarias o inversiones financieras, así como los cobros procedentes de su enajenación o de su amortización al vencimiento".

La contabilidad triangular, en pro de una información más fiel y detallada, va más allá de considerar el simple cobro o pago, y registra el movimiento de flujo del hecho contable, independientemente de si realiza efectivamente el pago, como, por ejemplo, si se financia la adquisición a través del propio proveedor del inmovilizado. En este caso, se consigue reflejar un movimiento de flujos en los distintos grupos del estado de flujos de efectivo, uno por la adquisición o inversión dentro de los flujos de efectivo de las actividades de inversión y otro por la financiación obtenida dentro de las actividades de financiación, aunque su efecto neto a nivel de operación sea neutro y no exista ni una entrada ni salida de efectivo.

En este grupo, en el epígrafe correspondiente a cobros, también deberán reflejarse los hechos contables relativos al cobro de las remuneraciones de las inversiones, generalmente los obtenidos de las inversiones en activos financieros, distinguiéndolos de los que pertenecen a operaciones de explotación, tal como estipula la NIC 7 en su párrafo 31: "Cada una de las anteriores partidas –refiriéndose a los intereses pagados y cobrados– debe ser clasificada de forma coherente, en cada ejercicio, como perteneciente a actividades de explotación, de inversión o de financiación...".

Epígrafe 6. Pagos por inversiones

Las cuentas recogidas en este epígrafe registran los flujos de salidas realizados por operaciones de inversión, dicho de una forma más general, se trata de las cuentas de flujo que reflejan los desembolsos realizados para los recursos económicos que van a producir ingresos y flujos de efectivo en un futuro. Dichos recursos pueden concretarse en inversiones materiales inversiones inmateriales, o en instrumentos financieros.

Por tanto, al tratarse de salidas de flujo, los movimientos de las cuentas recogidas en este epígrafe tendrán un movimiento negativo.

Cuentas:

B06a0   Pagos por inversiones. Empresas del grupo y asociadas

En esta cuenta de flujo se registran los movimientos de salida de flujo producidos por los desembolsos por inversiones en empresas del grupo, multigrupo y asociadas: instrumentos de patrimonio, créditos a las empresas, valores representativos de deudas, derivados y otros activos financieros.

Desde el punto de vista del balance, esta cuenta refleja los movimientos de flujo negativos que se produzcan en aquellos hechos contables que afectan al epígrafe IV. Inversiones en empresas del grupo y asociadas a largo plazo, del activo no corriente del balance.

B06b0   Pagos por inversiones. Inmovilizado intangible

Los movimientos de salida de flujo que provengan de la adquisición de activos intangibles se registran en esta cuenta. El signo del movimiento será negativo, ya que supone una salida de flujo.

Bajo la perspectiva del balance, se recogen aquellos movimientos de salida de flujo de efectivo que repercuten en las cuentas que se derivan del epígrafe I. Inmovilizado Intangible, del activo no corriente del balance.

B06c0   Pagos por inversiones. Inmovilizado material

En esta cuenta se registran los movimientos de salida de flujo (en negativo) que se derivan de la adquisición de inmovilizado material no destinado al arrendamiento o a obtener plusvalías a través de su enajenación.

Los hechos contables que afectan a esta cuenta de flujo afectan también a las cuentas del epígrafe de II. Inmovilizado Material, del activo no corriente del balance.

B06d0   Pagos por inversiones. Inversiones inmobiliarias

Como complementariedad de la cuenta anterior, en esta cuenta se registran los movimientos de salida de flujo de efectivo que se derivan de la adquisición de inmovilizado material destinado al arrendamiento o a obtener plusvalías por la enajenación del mismo.

Los activos que afectan a este movimiento de flujo se registran normalmente en el epígrafe III. Inversiones Inmobiliarias, del activo no corriente del balance.

B06e0   Pagos por inversiones. Otros activos financieros

En esta cuenta se registran las salidas de flujo por adquisición de activos financieros o inversiones financieras, a largo plazo. Al tratarse de un movimiento de salida, su signo es negativo.

Las cuentas de balance que recogen las inversiones financieras a largo plazo se encuentran agrupadas en el epígrafe V. Inversiones financieras a largo plazo, del activo no corriente del balance, y cualquier movimiento de desinversión que afecte a esas cuentas afectará a los flujos de efectivo que deben registrarse en esta cuenta de flujo.

B06f0   Pagos por inversiones. Activos no corrientes para la venta

En esta cuenta se registran las salidas de flujo relativas a la adquisición de activos no corrientes mantenidos para la venta, que con carácter general se definen como los elementos del inmovilizado material, inversiones inmobiliarias y participaciones en empresas del grupo, multigrupo o asociadas, cuya enajenación esté prevista en los doce meses siguientes.

El NPGC exige una serie de requisitos para determinación y clasificación de un activo no corriente disponible para la venta[26]. Por tanto, cualquier hecho contable que suponga una salida de flujo y que afecte los activos que se clasifican en el epígrafe I. Activos no corrientes mantenidos para la venta del activo corriente del balance, se registrará en negativo en esta cuenta de flujo.

B06g0   Pagos por inversiones. Otros activos

En esta cuenta se registran los movimientos de flujo pertenecientes a hechos contables relativos a pagos y salidas de flujo por inversiones, y que no estén recogidos en las definiciones de las cuentas anteriores de este epígrafe 6. Pagos por inversiones.

De manera análoga a las cuentas clasificadas en las actividades de explotación, en esta cuenta de flujo se registran los flujos de salida por el IVA vinculado a la adquisición o a la inversión (normalmente IVA soportado). Por tanto, en esta cuenta, además de otros registros, quedarán reflejadas aquellas salidas de flujo provocadas por el IVA por operaciones procedentes de actividades de inversión, distinguiéndose de aquellas por operaciones procedentes de actividades de explotación, que se registran en la cuenta *A3c0 Cambios capital corrientes. Otros activos corrientes.*

Epígrafe 7. Cobros por inversiones

En las cuentas recogidas en este epígrafe, al contario que en el epígrafe 6, se registran las entradas de flujo surgidas por operaciones de inversión. Se clasifican las cuentas de flujo que reflejan los reembolsos obtenidos por los recursos económicos y los rendimientos obtenidos de los mismos. Dichos recursos pueden concretarse en inversiones materiales, inversiones inmateriales o en instrumentos financieros y sus remuneraciones.

---

[26] 7.ª 1. Activos no corrientes mantenidos para la venta. Normas de registro y valoración. Segunda parte del Plan General de Contabilidad, aprobado por el Real Decreto 1514/2007, de 16 de noviembre.

Por tanto, al tratarse de entradas de flujo, los movimientos de las cuentas recogidas en este epígrafe tendrán un movimiento positivo.

Cuentas:

B07a0   Cobros por inversiones. Empresas del grupo y asociadas

En esta cuenta de flujo, se registran los movimientos de entrada de flujo producidos por los reembolsos por inversiones en empresas del grupo, multigrupo y asociadas: instrumentos de patrimonio, créditos a las empresas, valores representativos de deudas, derivados y otros activos financieros.

Desde el punto de vista del balance, esta cuenta refleja los movimientos de flujo positivos que se produzcan en aquellos hechos contables que afectan al epígrafe IV. Inversiones en empresas del grupo y asociadas a largo plazo, del activo no corriente del balance.

B07b0   Cobros por inversiones. Inmovilizado intangible

Los movimientos de entrada de flujo que provengan de la enajenación de activos intangibles se registran en esta cuenta. El signo del movimiento será positivo, ya que supone una entrada de flujo.

Bajo la perspectiva del balance, se recogen aquellos movimientos de entrada de flujo de efectivo que repercuten en las cuentas que se derivan del epígrafe I. Inmovilizado Intangible, del activo no corriente del balance.

B07c0   Cobros por inversiones. Inmovilizado material

En esta cuenta se registran los movimientos de entrada de flujo (en positivo) que se derivan de la enajenación de inmovilizado material no destinado al arrendamiento o a obtener plusvalías por su venta.

Los hechos contables que afectan a esta cuenta de flujo afectan también a las cuentas del epígrafe II. Inmovilizado Material, del activo no corriente del balance.

B07d0   *Cobros por inversiones. Inversiones inmobiliarias*

Como complementariedad de la cuenta anterior, en esta cuenta se registran los movimientos de entrada de flujo de efectivo que se derivan de la enajenación de inmovilizado material destinado al arrendamiento, o a obtener plusvalías por la venta del mismo. También se registran las rentas obtenidas de dichas inversiones, reflejando en esta cuenta, y en consecuencia en el epígrafe correspondiente en el estado de flujos de efectivo, las entradas de flujo correspondientes a inversiones.

Los activos que afectan a este movimiento de flujo se registran normalmente en el epígrafe III. Inversiones Inmobiliarias, del activo no corriente del balance.

B07e0   *Cobros por inversiones. Otros activos financieros*

En esta cuenta se registran las entradas de flujo por enajenación de activos financieros, o inversiones financieras, a largo plazo. Al tratarse de un movimiento de entrada, su signo será positivo. También se registran las remuneraciones obtenidas de dichas inversiones financieras, ya que son operaciones vinculadas a las actividades de inversión.

Las cuentas de balance que recogen las inversiones financieras a largo plazo se encuentran agrupadas en el epígrafe V. Inversiones financieras a largo plazo, del activo no corriente, y cualquier movimiento de inversión que afecte a esas cuentas afectará a los flujos de efectivo que se deben registrar en esta cuenta de flujo.

B07f0   *Cobros por inversiones. Activos no corrientes para la venta*

En esta cuenta se registran las entradas de flujo relativas a la enajenación de activos no corrientes mantenidos para la venta, definidos anteriormente como los elementos del inmovilizado material, inversiones inmobiliarias y participaciones en empresas del grupo, multigrupo o asociadas, cuya enajenación esté prevista en los doce meses siguientes.

Cualquier hecho contable que suponga una entrada de flujo y que afecte a los activos que se clasifican en el epígrafe I. Activos no corrientes mantenidos para la venta del activo corriente del balance, se registrará en positivo en esta cuenta de flujo.

B07g0   Cobros por inversiones. Otros activos

En esta cuenta se registran los movimientos de flujo perteneciente a hechos contables relativos a cobros y entradas de flujo por inversiones y que no estén recogidos en las definiciones de las cuentas anteriores de este epígrafe 7. Cobros por inversiones.

De manera simétrica a las cuenta de flujo *B06g0 Pagos por inversiones. Otros activos,* se registran los flujos de entrada por el IVA vinculado a la enajenación o venta (normalmente IVA repercutido). Por tanto, en esta cuenta, además de otros registros, quedarán reflejadas aquellas entradas de flujo provocadas por el IVA de operaciones procedentes de actividades de inversión, distinguiéndose de aquellas entradas de flujo por IVA de operaciones procedentes de actividades de explotación, que se registran en la cuenta *A3e0 Cambios capital corrientes. Otros pasivos corrientes.*

Grupo C) Flujos de efectivo DE LAS ACTIVIDADES DE FINANCIACIÓN

Las cuentas de flujo que se desglosan en este grupo reflejan los movimientos de flujo de aquellos hechos contables relacionados con los cambios que se producen en la estructura de financiación de la empresa, es decir, en la composición de los fondos propios y/o de los recursos ajenos.

Además, en el caso de que sea posible distinguir entre los intereses por actividades de financiación respecto a las actividades de explotación, estos se registran en este grupo, tal como establece la NIC 7. Por lo tanto, en este grupo también se registran los flujos de salida por la remuneración de la financiación obtenida, ya sea a través de dividendos por los fondos propios u otros instrumentos de patrimonio, y que el estado de flujos de efectivo refleja en un epígrafe concreto[27], o a través de intereses por la financiación ajena, que se registran según las cuentas de flujo y su definición.

El apartado 3 de la norma 9ª de elaboración del estado de flujos de efectivo del NPGC los define como: "Los flujos de efectivo por actividades de financiación comprenden los cobros procedentes de la adquisición por terceros de títulos valores emitidos por la empresa o de recursos concedidos por entidades financieras o terceros, en forma de préstamos u otros instrumentos

---

[27] Epígrafe 11.Pagos por dividendos y remuneraciones de otros instrumentos de patrimonio.

de financiación, así como los pagos realizados por amortización o devolución de las cantidades aportadas por ellos. Figurarán también como flujos de efectivo por actividades de financiación los pagos a favor de los accionistas en concepto de dividendos".

En el registro de flujos de financiación, al igual que ocurre en los flujos de inversión, la contabilidad triangular va más allá de considerar el simple pago o cobro, y registra el movimiento de flujo del hecho contable, independientemente de si realiza efectivamente el pago o el cobro.

Epígrafe 9. Cobros y pagos por instrumentos de patrimonio

Las cuentas agrupadas en este epígrafe recogen los movimientos de flujo relativos a los hechos contables que surgen de las operaciones que afectan a la variación de la estructura de los instrumentos de patrimonio neto de la empresa. Las remuneraciones de los instrumentos de patrimonio, generalmente dividendos, se recogen en el epígrafe 12. Pagos por dividendos y remuneraciones de otros instrumentos de patrimonio, desglosado más adelante.

Cuentas:

C09a0   *Cobros y pagos por instrumentos de patrimonio. Emisión de instrumentos de patrimonio*

En esta cuenta de flujo se registran los movimientos de entrada de flujos por la emisión de instrumentos de patrimonio. El ejemplo típico de este tipo de operaciones es la ampliación de capital. En consecuencia, el movimiento de esta cuenta siempre será positivo, ya que solo recoge los flujos de entrada de la emisión.

C09b0   *Cobros y pagos por instrumentos de patrimonio. Amortización de instrumentos de patrimonio*

Los movimientos de flujo que afecten a la disminución del montante de los instrumentos de patrimonio clasificados como fondos propios se recogerán en esta cuenta de flujo. El movimiento de esta cuenta será negativo, ya que refleja la salida de flujos.

C09c0   Cobros y pagos por instrumentos de patrimonio. Adquisición de instrumentos patrimonio propio

La adquisición de acciones propias es el ejemplo más representativo del tipo de hecho contable cuyo movimiento de flujo recoge esta cuenta de flujo. El movimiento registrado será siempre negativo, ya que supone el uso de recursos, es decir, la salida de flujos hacia terceros, para la adquisición de instrumentos de patrimonio propio.

C09d0   Cobros y pagos por instrumentos de patrimonio. Enajenación de instrumentos de patrimonio propio

Al contrario que la cuenta anterior, esta cuenta de flujo de enajenación de instrumentos de patrimonio propio recogerá las entradas de flujo producidas por la cesión, venta o permuta a terceros de instrumentos de patrimonio neto en posesión de la empresa, es decir, que previamente se haya producido una adquisición de los mismos.

El movimiento de esta cuenta será positivo, ya que se produce una entrada de flujo de fondos por la enajenación de patrimonio propio a terceros.

C09e0   Cobros y pagos por instrumentos de patrimonio. Subvenciones, donaciones y legados recibidos

En esta cuenta de flujo se registran las entradas de flujo de:

- Por un lado, la imputación al patrimonio neto en el momento inicial de las subvenciones, otorgadas por terceros. En este caso, el movimiento de flujo será positivo inicialmente, y a medida que posteriormente se proceda a la imputación de la subvención como ingreso en la cuenta de pérdidas y ganancias, paralelamente al devengo del gasto, su movimiento será negativo, de salida. Al mismo tiempo, se registra un movimiento en negativo en la cuenta de flujo *A02d0 Ajuste Resultado. Imputación de subvenciones,* dentro del grupo A de actividades de explotación.
- Por otro lado, las subvenciones, donaciones y legados entregados por los socios o propietarios que se califican como fondos propios. El NPGC las asimila, desde una perspectiva económica, con las restantes aportaciones que los socios o propietarios puedan realizar a la empresa,

fundamentalmente con la finalidad de fortalecer su patrimonio, y, por lo tanto, se trata de flujos procedentes de actividades de financiación.

El movimiento de flujo de esta cuenta será positivo.

Epígrafe 10. Cobros y pagos por instrumentos de pasivos financieros

Las cuentas de flujo agrupadas en este epígrafe registran los movimientos de flujos por la emisión y devolución o amortización, de instrumentos de pasivo financiero de naturaleza ajena y de largo plazo, agrupando en dos partidas distintas: una con los movimientos de emisión, positivo para el flujo, y en otra los movimientos de devolución o amortización, de salida de flujos.

Por lo tanto, este epígrafe se divide en dos subpartidas, distinguiendo en la partida *a) Emisió*n, los movimientos de entrada de flujo, y en la partida *b) Devolución y Amortización* los movimientos de salida de flujo

Cuentas:

C10a1   *Cobros y pagos por instrumentos de pasivo. Emisión de obligaciones y otros valores negociables*

Registra el movimiento de emisión de obligaciones y otros valores negociables emitidos, tales como bonos y pagarés. Su movimiento es positivo al tratarse de una entrada de flujo.

C10a2   *Cobros y pagos por instrumentos de pasivo. Deudas con entidades de crédito*

En esta cuenta de flujo se reflejan los movimientos de incremento, constitución o reconocimiento de deudas con entidades de crédito. Su movimiento es positivo al tratarse de un flujo de entrada.

C10a3   *Cobros y pagos por instrumentos de pasivo. Deudas con empresas del grupo y asociadas*

En esta cuenta se registran los movimientos de incremento, constitución o reconocimiento de deuda con empresas del grupo y asociadas. Su movimiento es positivo.

C10a4   Cobros y pagos por instrumentos de pasivo. Emisión otras deudas

En esta cuenta se registran los movimientos de entrada de flujo por pasivos financieros que no se hayan recogido en las cuentas anteriores, que con carácter no exhaustivo son: deudas con características especiales, deudas con terceros, tales como los préstamos y créditos financieros recibidos de personas o empresas, que no sean entidades de crédito ni empresas del grupo o asociadas, que no corresponden a operaciones ordinarias de explotación, incluidos los surgidos en la compra de activos no corrientes, fianzas y depósitos recibidos y desembolsos exigidos por terceros sobre participaciones[28].

C10b1   Cobros y pagos por instrumentos de pasivo. Devolución de obligaciones y otros valores negociables

Registra el movimiento de devolución de obligaciones y otros valores negociables emitidos, tales como bonos y pagarés. Su movimiento es negativo al tratarse de una salida de flujo.

En esta cuenta de flujo también se registran las remuneraciones devengadas y/o pagadas de las obligaciones y otros valores negociables a terceros, ya que se pueden identificar como una actividad de financiación, y, por tanto, su clasificación en el estado de flujos de efectivo, y por extensión a esta cuenta de flujo, se adecua a lo establecido en la NIC 7.

C10b2   Cobros y pagos por instrumentos de pasivo. Devolución deudas con entidades de crédito

En esta cuenta de flujo se reflejan los movimientos de disminución, amortización o cancelación de deudas con entidades de crédito. También se registran los intereses pagados y/o devengados por la financiación obtenida. El movimiento de esta cuenta es negativo, al tratarse de un flujo de salida.

---

[28] Se trata de una versión ampliada de la definición que ofrece el NPGC de "Otros pasivos financieros" en la 9.ª Norma de Valoración y Registro.

C10b3   Cobros y pagos por instrumentos de pasivo. Devolución deudas con empresas del grupo y asociadas

En esta cuenta se registran los movimientos de disminución, amortización o cancelación de deudas con empresas del grupo y asociadas, y los intereses devengados o satisfechos por la remuneración de la misma. Su movimiento es negativo.

C10b4   Cobros y pagos por instrumentos de pasivo. Devolución otras deudas

En esta cuenta se registran los movimientos de salida de flujo por pasivos financieros, que no se hayan recogido en las cuentas anteriores, y que responden a la mismas características que los clasificados como entradas de flujo en la cuenta *C10a4 Cobros y pagos por instrumentos de pasivo. Emisión otras deudas.*

Por otro lado, también se registran en esta cuenta los flujos correspondientes a la remuneración devengada y/o pagada por estas deudas.

El movimiento de esta cuenta se registra en negativo.

Epígrafe 11. Pagos por dividendos y remuneraciones de otros instrumentos financieros

En este epígrafe se agrupan dos cuentas de flujo que recogen los movimientos de flujo del coste de obtener recursos financieros propios, es decir, de los dividendos y remuneraciones análogas de instrumentos financieros con carácter de fondos propios.

Dichos movimientos de salida de flujo se consideran flujos de actividades de financiación, y el estado de flujos de efectivo así lo considera y distingue, al clasificarlos en un epígrafe independiente respecto a la emisión y amortización de los instrumentos financieros propios. Esta clasificación aislada permite ver fácilmente al analista o usuario de la información contenida en el estado de flujos de efectivo, si el pago de los dividendos está cubierto por los flujos de las actividades de explotación, que el estado presenta totalizado en el epígrafe 5. Flujos de efectivo de Explotación.

Como se ha visto anteriormente, para el registro de los movimientos de flujo de los costes financieros ajenos, se utilizan las mismas cuentas en donde se registran las devoluciones y amortizaciones de los instrumentos de pasivo financiero de carácter ajeno, dificultando su distinción a nivel de estado de flujos de efectivo, pero gracias a la contabilidad triangular, a nivel de cuentas de flujo, el usuario de la información sí que puede analizar la capacidad de excedentes de los flujos de las actividades de explotación, para cubrir los flujos procedentes de los costes financieros ajenos.

Cuentas:

C11a0   *Pagos por remuneraciones. Dividendos*

En esta cuenta se registran los dividendos pagados. Al tratarse de un movimiento de salida, su movimiento de flujo es negativo.

C11b0   *Pagos por remuneraciones. Otros instrumentos de patrimonio*

En esta cuenta se registran los movimientos de salidas de flujo, en negativo, por las remuneraciones pagadas y/o devengadas a terceros por la emisión de instrumentos de patrimonio propio.

Grupo D) EFECTO DE LAS VARIACIOENS DE LOS TIPOS DE CAMBIO

Este grupo incluye una única cuenta: la ***D0000 Efectos de las variaciones de los tipos de cambio en los flujos***, y recoge las diferencias de cambio en moneda extranjera no realizadas. El efecto que la variación en los tipos de cambio tiene sobre el efectivo y los equivalentes al efectivo, mantenidos o debidos, en moneda extranjera, debe presentarse en el estado de flujos de efectivo para permitir la conciliación entre las existencias de efectivo al principio y al final del periodo. Este importe se presentará por separado de los flujos procedentes de las actividades de explotación, de inversión y de financiación, por lo que se presenta en un grupo distinto, el D.

Los movimientos de flujo que se registran en esta cuenta son los ajustes de valoración en la moneda extranjera al tipo de cambio del final del periodo.

Cabe destacar que la contabilidad triangular, si se desglosa una cuenta por divisa[29], permite obtener información acerca del peso del impacto del tipo cambio en función de la divisa. A modo de ejemplo de desglose:

- D0000001 Efectos de las variaciones de los tipos de cambio en los flujos. Moneda USD
- D0000002 Efectos de las variaciones de los tipos de cambio en los flujos. Moneda GBP
- D0000003 Efectos de las variaciones de los tipos de cambio en los flujos. Moneda JPY

---

[29] Gracias a la ley de desglose: Toda cuenta de flujo puede desglosarse en varias cuentas, conservando estas las mismas características que la cuenta original.

EL ESTADO DE FLUJOS DE EFECTIVO BAJO LA CONTABILIDAD TRIANGULAR

Llegados a este punto, la construcción del estado de flujos de efectivo a través de la contabilidad triangular resulta obvia y fácilmente intuitiva.

Gracias a la ley de integración de las cuentas de flujo, estas pueden agruparse en otras más generales, de la misma forma que ocurre en la contabilidad de partida doble. A su vez, estas cuentas generales se relacionan directamente con las distintas partidas del estado de flujos de efectivo, por lo que la elaboración de dicho estado resulta directa[30].

Partiendo de los movimientos de las cuentas de flujo, estos se ordenarán y agruparán en sus respectivas cuentas, obteniendo un saldo final del periodo, por la suma de los movimientos en positivo y de los movimientos en negativo, construyendo, de esta forma, el libro mayor de cada una de las cuentas de flujo.

Una vez se obtienen los saldos de las distintas cuentas, se trata de agrupar estas y relacionarlas directamente con las partidas en las que se agrupan del estado de flujos de efectivo.

A modo de ejemplo, suponemos que, a una determinada fecha, tenemos diversas cuentas de flujo desglosadas por clientes, correspondientes a la cuenta "madre" *A03b0 Cambios capital corrientes. Deudores y otras cuentas a cobrar,* que presentan el siguiente saldo:

Cuenta	Nombre Genérico	Nombre Específico	Saldo (u.m.)
A03b0001	Cambios cptal. Cte. Deudores y otras ctas. a cobrar	Cliente AAAA	1.500,00
A03b0002	Cambios cptal. Cte. Deudores y otras ctas. a cobrar	Cliente BBBBB	6.200,00
A03b0003	Cambios cptal. Cte. Deudores y otras ctas. a cobrar	Cliente CCCCC	12.400,00

[30] En el capítulo "La cuenta de flujo" se muestra la correlación entre las cuentas y los epígrafes del estado de flujos de efectivo.

Si agrupamos estas cuentas a un nivel superior, obtendremos el saldo de la cuenta a nivel de correlación con el estado de flujos de efectivo:

A03b0 Cambios capital corriente. Deudores y otras ctas. a cobrar, saldo: 20.100,00 u.m.

Ahora solo queda trasladar dicho saldo a la partida correspondiente del estado de flujos de efectivo. La cuenta *A03b0 Cambios capital corriente. Deudores y otras cuentas a cobrar* se relaciona con la partida b) Deudores y otras cuentas a cobrar, dentro del epígrafe 3.Cambios en el capital corriente, que se encuentra dentro del grupo A) Flujos de efectivo de las actividades de explotación.

El estado de flujos de efectivo quedará de la siguiente manera:

Cuenta de Flujo	estado de flujos de efectivo	Importe
	A) Flujos de efectivo DE LAS ACTIVIDADES DE EXPLOTACIÓN	
	1. Resultado del ejercicio antes de impuestos.	
	2. Ajustes del resultado.	
	a) Amortización del inmovilizado (+).	
	b) Correcciones valorativas por deterioro (+/–).	
	c) Variación de provisiones (+/–).	
	d) Imputación de subvenciones (–)	
	e) Resultados por bajas y enajenaciones del inmovilizado (+/–).	
	f) Resultados por bajas y enajenaciones de instrum. financieros (+/–).	
	g) Ingresos financieros (–).	
	h) Gastos financieros (+).	
	i) Diferencias de cambio (+/-).	
	j) Variación de valor razonable en instrumentos financieros (+/–).	
	k) Otros ingresos y gastos (–/+).	
	3. Cambios en el capital corriente.	20.100,00
	a) Existencias (+/–).	
A03b0	b) Deudores y otras cuentas a cobrar (+/–).	20.100,00
	c) Otros activos corrientes (+/–).	
	d) Acreedores y otras cuentas a pagar (+/–).	
	e) Otros pasivos corrientes (+/–).	
	f) Otros activos y pasivos no corrientes (+/–).	
	4. Otros flujos de efectivo de las actividades de explotación.	
	a) Pagos de intereses (–).	
	b) Cobros de dividendos (+).	
	c) Cobros de intereses (+).	
	d) Cobros (pagos) por impuesto sobre beneficios (+/–).	
	e) Otros pagos (cobros) (–/+)	
	5. Flujos de efectivo de las actividades de explotación (+/–1+/–2+/-3+/–4)	20.100,00

Por tanto, el importe de la partida b) Deudores y otras cuentas a cobrar del estado está formado por la suma del saldo de las distintas cuentas de flujo cuya raíz es A03b0.

Este proceso anterior no es más que la forma práctica de realizar la fase tercera de ordenación de cuentas y la fase cuarta de síntesis, dentro de la primera etapa del proceso de elaboración contable, descritas en el capítulo "El proceso de la contabilidad triangular".

Siguiendo la misma sistemática con el resto de cuentas de flujo y correlacionando estas con las partidas del estado de flujos de efectivo se elabora el mismo.

Para completar el Estado hay que rellenar tres casillas más con tres datos que pueden obtenerse directamente de los epígrafes del balance, o de los saldos de las cuentas que se agrupan en los correspondientes epígrafes del balance:

1.Resultado del ejercicio antes de impuestos

En este epígrafe del estado de flujos de efectivo se tomará el saldo de la cuenta 129, que se refleja en el epígrafe VII. Resultado del Ejercicio, dentro del patrimonio neto, del balance de situación, excluyendo los impuestos. O como alternativa, también puede utilizarse la suma neta de los saldos de las cuentas de los grupos 6 y 7 del cuadro de cuentas, exceptuando la cuenta 630 impuesto sobre beneficios.

Efectivo o equivalentes al comienzo del ejercicio

En esta partida del estado de flujos de efectivo se reflejará el saldo inicial del ejercicio (o el final del ejercicio anterior) del epígrafe VII. Efectivo y otros activos líquidos equivalentes, dentro del activo corriente del balance de situación. O como alternativa, la suma del saldo de las cuentas del grupo 57. tesorería del cuadro de cuentas al inicio del ejercicio.

Efectivo o equivalentes al final del ejercicio

En esta partida del estado de flujos de efectivo se reflejará el saldo final del ejercicio del epígrafe VII. Efectivo y otros activos líquidos equivalentes, dentro del activo corriente del balance de situación. O, por defecto, la suma del saldo de las cuentas del grupo 57.tesorería del cuadro de cuentas al final del ejercicio.

Por lo tanto, de forma esquemática el origen de los datos de las partidas del estado de flujos de efectivo es el siguiente:

ESTADO DE FLUJOS DE EFECTIVO	Origen de los datos
A) FLUJOS DE EFECTIVO DE LAS ACTIVIDADES DE EXPLOTACION	
1. Resultado del ejercicio antes de impuestos.	Balance o cuentas grupo 6 y 7
2. Ajustes del resultado.	Sumatorio
a) Amortización del inmovilizado (+).	Agrupación y síntesis cuentas A02a0
b) Correcciones valorativas por deterioro (+/-).	Agrupación y síntesis cuentas A02b0
c) Variación de provisiones (+/-).	Agrupación y síntesis cuentas A02c0
d) Imputación de subvenciones (-)	Agrupación y síntesis cuentas A02d0
e) Resultados por bajas y enajenaciones del inmovilizado (+/-).	Agrupación y síntesis cuentas A02e0
f) Resultados por bajas y enajenaciones de instrumentos financieros (+/-).	Agrupación y síntesis cuentas A02f0
g) Ingresos financieros (-).	Agrupación y síntesis cuentas A02g0
h) Gastos financieros (+).	Agrupación y síntesis cuentas A02h0
i) Diferencias de cambio (+/-).	Agrupación y síntesis cuentas A02i0
j) Variación de valor razonable en instrumentos financieros (+/-).	Agrupación y síntesis cuentas A02j0
k) Otros ingresos y gastos (-/+).	Agrupación y síntesis cuentas A02k0
3. Cambios en el capital corriente.	Sumatorio
a) Existencias (+/-).	Agrupación y síntesis cuentas A03a0
b) Deudores y otras cuentas a cobrar (+/-).	Agrupación y síntesis cuentas A03b0
c) Otros activos corrientes (+/-).	Agrupación y síntesis cuentas A03c0
d) Acreedores y otras cuentas a pagar (+/-).	Agrupación y síntesis cuentas A03d0
e) Otros pasivos corrientes (+/-).	Agrupación y síntesis cuentas A03e0
f) Otros activos y pasivos no corrientes (+/-).	Agrupación y síntesis cuentas A03f0
4. Otros flujos de efectivo de las actividades de explotación.	Sumatorio
a) Pagos de intereses (-).	Agrupación y síntesis cuentas A04a0
b) Cobros de dividendos (+).	Agrupación y síntesis cuentas A04b0
c) Cobros de intereses (+).	Agrupación y síntesis cuentas A04c0
d) Cobros (pagos) por impuesto sobre beneficios(+/-).	Agrupación y síntesis cuentas A04d0
e) Otros pagos (cobros) (-/+)	Agrupación y síntesis cuentas A04e0
5. Flujos de efectivo de las actividades de explotación (+/-1+/-2+/-3+/-4)	Sumatorio
B) FLUJOS DE EFECTIVO DE LAS ACTIVIDADES DE INVERSIÓN	
6. Pagos por inversiones (-).	Sumatorio
a) Empresas del grupo y asociadas.	Agrupación y síntesis cuentas B06a0
b) Inmovilizado intangible.	Agrupación y síntesis cuentas B06b0
c) Inmovilizado material.	Agrupación y síntesis cuentas B06c0
d) Inversiones inmobiliarias.	Agrupación y síntesis cuentas B06d0
e) Otros activos financieros.	Agrupación y síntesis cuentas B06e0
f) Activos no corrientes mantenidos para venta.	Agrupación y síntesis cuentas B06f0
g) Otros activos.	Agrupación y síntesis cuentas B06f0
7. Cobros por desinversiones (+).	Sumatorio
a) Empresas del grupo y asociadas.	Agrupación y síntesis cuentas B07a0
b) Inmovilizado intangible.	Agrupación y síntesis cuentas B07b0
c) Inmovilizado material.	Agrupación y síntesis cuentas B07c0
d) Inversiones inmobiliarias.	Agrupación y síntesis cuentas B07d0
e) Otros activos financieros.	Agrupación y síntesis cuentas B07e0
f) Activos no corrientes mantenidos para venta.	Agrupación y síntesis cuentas B07f0
g) Otros activos.	Agrupación y síntesis cuentas B07g0
8. Flujos de efectivo de las actividades de inversión (7-6)	Sumatorio
C) FLUJOS DE EFECTIVO DE LAS ACTIVIDADES DE FINANCIACIÓN	
9. Cobros y pagos por instrumentos de patrimonio.	Sumatorio
a) Emisión de instrumentos de patrimonio (+).	Agrupación y síntesis cuentas C09a0
b) Amortización de instrumentos de patrimonio (-).	Agrupación y síntesis cuentas C09b0
c) Adquisición de instrumentos de patrimonio propio (-).	Agrupación y síntesis cuentas C09c0
d) Enajenación de instrumentos de patrimonio propio (+).	Agrupación y síntesis cuentas C09d0
e) Subvenciones, donaciones y legados recibidos (+).	Agrupación y síntesis cuentas C09e0
10. Cobros y pagos por instrumentos de pasivo financiero.	Sumatorio
a) Emisión	Sumatorio
1. Obligaciones y otros valores negociables (+).	Agrupación y síntesis cuentas C10a1
2. Deudas con entidades de crédito (+).	Agrupación y síntesis cuentas C10a2
3. Deudas con empresas del grupo y asociadas (+).	Agrupación y síntesis cuentas C10a3
4. Otras deudas (+).	Agrupación y síntesis cuentas C10a4
b) Devolución y amortización de	Sumatorio
1. Obligaciones y otros valores negociables (-).	Agrupación y síntesis cuentas C10b1
2. Deudas con entidades de crédito (-).	Agrupación y síntesis cuentas C10b2
3. Deudas con empresas del grupo y asociadas (-).	Agrupación y síntesis cuentas C10b3
4. Otras deudas (-).	Agrupación y síntesis cuentas C10b4
11. Pagos por dividendos y remuneraciones de otros instrumentos de patrimonio.	Sumatorio
a) Dividendos (-).	Agrupación y síntesis cuentas C11a0
b) Remuneración de otros instrumentos de patrimonio (-).	Agrupación y síntesis cuentas C11b0
12. Flujos de efectivo de las actividades de financiación (+/-9+/-10-11)	Sumatorio
D) Efecto de las variaciones de los tipos de cambio	Agrupación y síntesis cuentas D0000
E) AUMENTO/DISMINUCION NETA DEL EFECTIVO O EQUIVALENTES (+/-5+/-8+/-12+/-D)	Sumatorio
Efectivo o equivalentes al comienzo del ejercicio.	Balance inicial o saldo inicial cuentas grupo 57
Efectivo o equivalentes al final del ejercicio.	Balance final o saldo final cuentas grupo 57

Finalmente, resulta fácil la comprobación del cuadre del estado de flujos de efectivo gracias a su cuadre interno, cuyo esquema, de forma escalar, es:

+ **Rtdo. del ejercicio antes de impuestos** → *Dato obtenido del balance o cuentas grupo 6 y 7*

+ **Saldos de los flujos de las actividades de explotación** → *Agrupación y síntesis cuentas de flujo*

+ **Saldos de los flujos de las actividades de inversión** → *Agrupación y síntesis cuentas de flujo*

+ **Saldo de los flujos de las actividades de financiación** → *Agrupación y síntesis cuentas de flujo*

+ **Efecto de la variación de los tipos de cambio** → *Agrupación y síntesis cuentas de flujo*

= **Variación del saldo de efectivo o equivalentes de efectivo en el ejercicio** → *Diferencia entre el saldo inicial y final de los balances o de las cuentas del grupo 57.*

Cabe resaltar aquí, como ya se ha mencionado en anteriores ocasiones, una de las grandes aportaciones de valor de la contabilidad triangular: la elaboración del estado de flujos de efectivo de una forma directa, sencilla y fácil.

De esta gran aportación de valor se derivan dos más, no menos valiosas:

La primera, el analista o usuario de la información contable puede conocer la composición del saldo de una determinada partida del estado de flujos de efectivo, simplemente observando las distintas cuentas de flujo que se agrupan para formar el saldo de un determinado epígrafe del estado.

La segunda, el analista o usuario de la información contable puede conocer la evolución del saldo de una determinada partida del estado de flujos de efectivo, a través del análisis de la evolución de los saldos de las cuentas de flujo que se agrupan en dicha partida del estado.

La información útil que aporta la contabilidad triangular, a través de la elaboración directa, del estado de flujos de efectivo es mucho más profunda que en la contabilidad de partida doble, permitiendo, entre otras ventajas, por ejemplo:

- Profundizar sobre el origen primero de la capacidad de generación de efectivo de la empresa.
- Analizar la evolución de los flujos de las distintas actividades con mucho más detalle, llegando a nivel de hecho contable.
- Visualizar y analizar la evolución histórica de los flujos dentro de un mismo periodo o ejercicio.
- Facilitar la auditoría y el control sobre los flujos, permitiendo verificar el hecho contable que los provocó.

Llegados a este punto, la contabilidad triangular proporciona otra segunda gran ventaja: permite elaborar directamente el estado de flujos de efectivo para cualquier periodo: anual, mensual, trimestral, interanual, plurianual, etc.

La demostración teórica emana del análisis de las dos expresiones matemáticas vistas anteriormente:

- La primera, de la igualdad básica de la contabilidad triangular, es decir, la igualdad que demuestra el cuadre del asiento:

$$+ \sum_{i}^{n} Di + \sum_{i}^{n} Di - Hi \text{ Grupo 6 y 7} + \sum_{i}^{n} + - i \text{ Cuentas Flujo}$$

$$= + \sum_{i}^{n} Di - Hi \text{ Grupo 57} + \sum_{i}^{n} Hi$$

En donde **i** representa los distintos hechos contables ocurridos durante el periodo. De forma natural y ordenada, se toma **i** = 1 hasta **n**, donde 1 es el primer hecho contable, que por ejemplo se identifica con el primer asiento, y **n** es el último, y la igualdad se cumple. De la misma manera, se podría tomar **i** = 4 hasta **n**, donde 4 representa el cuarto hecho contable, y la igualdad se cumpliría igualmente, sumando solo los hechos contables desde el cuarto hasta el último.

La demostración de lo anterior es claramente intuitiva, si los hechos contables de forma individual cumplen con la igualdad, y de forma conjunta y global también, para un conjunto de hechos contables también se cumplirá, luego si el conjunto es una agrupación por periodos, y siguiendo la ordenación cronológica, también se cumplirá la igualdad.

- La segunda, la igualdad que demuestra el origen de los movimientos de las cuentas de flujo a través de la afectación a las partidas de balance:

$$CF_{1\text{-}0} = -Asc_{1\text{-}0} + P_{1\text{-}0} + PNR_{1\text{-}0}$$

En donde **0** representa el periodo inicial y **1** el periodo final, resulta obvio que siendo el periodo inicial cualquiera y el periodo final otro posterior, la igualdad se sigue cumpliendo.

Por tanto, visto lo anterior, si se requiere la elaboración del estado de flujos de efectivo de un periodo cualquiera es tan simple como agrupar y agregar los movimientos de flujo que se hayan producido en las cuentas de flujo durante ese periodo, y tener en cuenta que los resultados a reflejar en el estado deben ser los relativos a ese periodo, y al igual que el efectivo o equivalentes de efectivo final e inicial mostrados en el estado, deben referirse al periodo determinado.

Si se reescribe el esquema de forma escalar del estado de flujos de efectivo para cualquier periodo, quedará:

+ Rtdo. del periodo antes de impuestos
+ Saldos de los flujos de las actividades de explotación del periodo
+ Saldos de los flujos de las actividades de inversión del periodo
+ Saldo de los flujos de las actividades de financiación del periodo
+ Efecto de la variación de los tipos de cambio del periodo

= Variación del saldo de efectivo o equivalentes de efectivo en el periodo.

A cualquier sistema de información contable, si es capaz de construir un estado de flujos de efectivo de un ejercicio a través de la contabilidad triangular, le será sumamente fácil, y no supone ninguna complejidad añadida, elaborar un estado para cualquier periodo, acotando y seleccionando solo los movimientos del periodo elegido.

Por último, cabe destacar que la elaboración directa del estado de flujos de efectivo, y poder escrutar y desglosar a nivel de detalle de cuenta los distintos epígrafes del estado, y, además, poder elegir periodos, permite a los analistas de información contable (*controllers*, auditores, contables, etc.) obtener información valiosa comparativa sobre la evolución de los mismos y sobre los hechos contables que provocaron los movimientos de flujos. Hasta ahora, en la contabilidad tradicional, esta información era compleja y costosa de obtener a nivel de detalle. La contabilidad triangular logra salvar este obstáculo, reduciendo drásticamente tanto el coste temporal como de recursos, en la obtención de información relativa a los flujos de efectivo para un periodo concreto.

EJEMPLO PRÁCTICO DE CONTABILIDAD TRIANGULAR

Para comprender y observar desde una perspectiva práctica la contabilidad triangular, seguidamente se expone un ejemplo práctico de contabilización de diversos hechos contables de un negocio ficticio. Los asientos demostrativos no son de complejidad excesiva, pues pretenden mostrar el funcionamiento del asiento triangular, la mayor precisión al construir el estado de flujos de efectivo, y su mayor aportación de información relevante respecto al estado y su análisis posterior.

Las cuentas de flujo del ejemplo se estructuran en 8 posiciones: 5 que recogen la estructuración mínima de los grupos, epígrafes y partidas, ya detalladas en el cuadro de cuentas de flujos, y 3 posiciones más para obtener un mayor desglose de las mismas, y permitir en una misma partida tener diferentes cuentas para distintos conceptos. A modo de ejemplo, una cuenta de flujo recogida en la partida *A03b0 Cambios capital corrientes. Deudores y otras cuentas a cobrar*, sería:

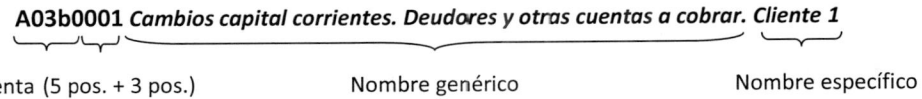

| A03b0001 *Cambios capital corrientes. Deudores y otras cuentas a cobrar. Cliente 1* |
| Cuenta (5 pos. + 3 pos.) | Nombre genérico | Nombre específico |

En cada asiento del ejemplo práctico se han detallado:

- La descripción del hecho contable que origina el asiento.
- La descripción e identificación del movimiento de flujo inherente en el hecho contable, y, por consiguiente, la cuenta o cuentas de flujo afectadas por dicho movimiento de flujo, así como el signo del movimiento.
- El asiento triangular, con las tres partidas: el debe, el haber y el flujo.
- Y, por último, el cuadre del asiento: por un lado, de forma independiente para las cuentas de flujo, ya expuesto anteriormente bajo la siguiente expresión:

$$+ \sum \textbf{Ctas. Rtdos.} + \sum \textbf{Ctas Flujo} = \sum \textbf{Ctas. tesorería}$$

Y, por otro lado de forma conjunta para el asiento global, según la expresión:

$$\sum \textbf{debe} + \sum \textbf{Ctas. Rtdos.} + \sum \textbf{Ctas. Flujo} = \sum \textbf{Ctas. tesorería} + \sum \textbf{haber}$$

También se expone a mitad y al final del ejemplo práctico la elaboración del balance de Comprobación de sumas y saldos, con los movimientos acumulados hasta el momento.

Tras la descripción y contabilización de los hechos contables del ejemplo práctico se realiza la elaboración de un estado de flujos de efectivo, para todo el periodo y para un periodo intermedio, con sus respectivos análisis de la información aportada por la contabilidad triangular.

Para una mejor comprensión del ejemplo práctico es recomendable seguir el mismo teniendo a mano un estado de flujos de efectivo y/o el cuadro de cuentas de flujo detallado en el capítulo "La cuenta de flujo", para visualizar los epígrafes y las partidas indicadas.

Para facilitar el seguimiento del ejemplo se han numerado ordenadamente los distintos asientos. El ejemplo se compone de veinte asientos.

• ASIENTO 1

Descripción: Supongamos la creación de una sociedad anónima con el capital social totalmente desembolsado el primer día del ejercicio de 10.000,00 u.m. (u.m. = unidades monetarias). El primer asiento que se realiza es la constitución capital social y desembolso total en bancos: 10.000,00 u.m.

Cuenta de flujo afectada: El movimiento de capital afecta a los flujos de efectivo de actividades de financiación (recogidos en el grupo C), y en concreto a la partida 9:Cobros y pagos por instrumentos de Patrimonio, y a la subpartida a): Emisión de instrumentos de patrimonio (+). Por tanto, la cuenta de flujo será: **C09a0001** (los tres últimos dígitos son adicionales para desglosar más nivel de cuentas) y la denominaremos: *Emisión Instrumentos de patrimonio. Aportación Capital Social.*

En esta cuenta, al ser un incremento del flujo por la obtención de financiación, el movimiento se registra en positivo.

Asiento:

Asiento 1: Fecha 1-1-20xx

Debe							*Haber*
10.000,00	5720001	Banco 1	a	1000000	Capital social		10.000,00
			C09a0001		Emisión Instrumentos de patrimonio. Aportación Capital Social		
			10.000,00				
			Flujo				

Cuadre:

A nivel de cuentas de flujo:

Si realizamos el cuadre a nivel de cuentas de flujo:

$$+ \sum \textbf{Ctas. Rtdos.} + \sum \textbf{Ctas. Flujo} = \sum \textbf{Ctas. tesorería}^{[31]}$$

Tendremos que:

$+ \sum$ **Ctas. Rtdos.** = 0,00 (En el asiento no intervienen cuentas de resultados)

$+ \sum$ **Ctas. Flujo**: Solo ha habido el movimiento de una cuenta de flujo C09a0001= 10.000,00 u.m., y positivo.

$+ \sum$ **Ctas. tesorería**: Solo se ha producido en el asiento un movimiento de tesorería: Caja (572) = 10.000,00 u.m. Se toma en positivo al tratarse de una entrada de efectivo.

---

[31] Recuérdese que deberían agregarse como movimiento de cuentas de tesorería todas las cuentas de efectivo y equivalentes de efectivo (subgrupo 57 del cuadro de cuentas de balance). A lo largo del ejemplo, para evitar añadir complejidad al mismo con el objetivo de facilitar el seguimiento y comprensión, se ha utilizado solamente la cuenta de bancos (572).

Por tanto: $0,00 + 10.000,00 = 10.000,00 \rightarrow$ Cuadrado

Si realizamos el cuadre del asiento a nivel global (conjuntamente las cuentas de flujo y las cuentas de patrimonio), en donde el debe = 10.000,00 y el Haber = 10.000,00, la comprobación del cuadre será:

$$\sum \textbf{Debe} + \sum \textbf{Ctas. Rtdo.} + \sum \textbf{Ctas. Flujo} = \sum \textbf{Ctas. tesorería} + \sum \textbf{Haber}$$

$10.000,00 + 0,00 + 10.000,00 = 10.000,00 + 10.000,00 \rightarrow$ Cuadrado

A modo de ejemplo, el libro mayor de la cuenta de flujo C0901001 con la esquematización con la típica T, queda de la siguiente manera:

C09a0001 Emisión Instrumentos de
patrimonio. Aportación Capital Social

+		-
1-1-20xx	10.000,00 u.m.	

Saldo: + 10.000,00 u.m.

- **ASIENTO 2**

Descripción: La sociedad adquiere inmovilizado material (equipos de información) por 3.000,00 u.m. Acuerda el pago al proveedor a 180 días tras la adquisición. (IVA 18 % = 540,00 u.m.).

Cuenta de flujo afectada: Este asiento afecta a tres cuentas de flujo simultáneamente.

En primer lugar, al tratarse de una inversión afecta al grupo B) Flujos de efectivo de Inversión, dentro del epígrafe c)Inmovilizado material, del subgrupo 6, pago por inversiones. La cuenta de flujo será: **B06c0001**: *Pagos por Inversiones. Inmovilizado Material. Compra equipo IT.* Se registrará en negativo al ser un incremento del activo.

En segundo lugar, al financiarse a 180 días y no vincularse directamente a una actividad de la explotación afectará al flujo de financiación (se financia un activo material). En concreto, al subepígrafe **4: Otras deudas**, del epígrafe

a) Emisión, del subgrupo 10.Cobros y pagos por instrumentos de pasivo financiero, del grupo C: Flujo de efectivo de las actividades de financiación. La cuenta de flujo será: **C10a4001:** *Cobros y pagos instrumentos financieros. Pasivo financiero*. Emisión otras deudas. Al tratarse de incremento del pasivo, su registro supone un incremento del flujo, por tanto, en positivo.

En tercer lugar, la compra lleva consigo el pago del impuesto sobre el Valor Añadido. Dentro del balance, el IVA soportado y repercutido se registra como activos/pasivos corrientes, es decir, se asimila a las actividades corrientes, de explotación. La contabilidad triangular permite ser mucho más precisos en cuanto al tema de flujos, y poder registrar el IVA vinculado a una actividad de inversión[32]. Por tanto, el IVA afecta al grupo B de actividades de Inversión, del subgrupo 6, pagos por inversiones, y en el epígrafe g) Otros activos. La cuenta será: **B06g0001:** *Pagos por inversiones. Otros activos. IVA soportado.* Al tratarse de un aumento de activo, su registro como flujo será negativo.

Asiento:

Asiento 2: Fecha 3-1-20xx

Debe						Haber
3.000,00	2170001	I.M. Equipos IT	a	4100001	Acreedor 1 Equipos IT	3.540,00
540,00	4720000	HP IVA soportado				
			B06c0001 −3.000,00	*Pagos por Inversiones. Inmovilizado Material. Compra equipo IT*		
			C10a4001 3.540,00	*Cobros y pagos instrumentos financieros. Pasivo financiero. Emisión otras deudas*		
			B06g0001 −540,00	*Pagos por inversiones. Otros activos. IVA soportado*		
			Flujo			

Cuadre:

A nivel de asiento (cuentas de flujo):

---

[32] Cuando se construye el estado de flujos de efectivo de forma tradicional los pagos y cobros por IVA quedan camuflados dentro del activo y del pasivo corriente, y se registran por diferencia de periodos en el grupo de las actividades de explotación, cuando puede existir IVA que corresponda a actividades de inversión como es el caso del ejemplo que nos ocupa.

$$+ \sum \text{Ctas. Rtdos.} + \sum \text{Ctas. Flujo} = \sum \text{Ctas. tesorería}$$

$+ \sum$ **Ctas. Rtdos.** $= 0,00$ (No hay movimientos en cuentas de resultados)

$+ \sum$ **Ctas. Flujo** $=$ Se suman las tres cuentas que afectan al asiento:

B06c0001 $= -3.000,00$

C10a4001 $= +3.540,00$

B06g0001 $= -540,00 = 0,00$

Por tanto, $+ \sum$ **Ctas. Flujo** $= -3.000,00 + 3.540,00 - 540,00 = 0,00$

$\sum$ **Ctas. tesorería** $=$ No hay movimientos de cuentas del grupo 57 $= 0$

Por tanto, el cuadre a nivel de cuentas de flujo queda:

$0,00 + 0,00 = 0,00 \rightarrow$ Cuadrado

A nivel de asiento global (cuentas de flujo y de patrimonio):

$$\sum \text{Debe} + \sum \text{Ctas. Rtdo.} + \sum \text{Ctas. Flujo} = \sum \text{Ctas. tesorería} + \sum \text{Haber}$$

Donde el debe es igual a 3.540, y el haber a 3.540,00, por tanto:

$3.540,00 + 0,00 + 0,00 = 3.540,00 + 0,00 \rightarrow$ Cuadrado

Como puede apreciarse, si se realiza primero el cuadre de las cuentas de flujo puede prescindirse de la comprobación del cuadre global (obviamente teniendo por supuesto que el debe y el haber del asiento están cuadrados).

El hecho contable descrito en este ejemplo, al no incorporar un movimiento de efectivo real, bajo la elaboración del estado de flujos de efectivo de forma tradicional no hubiera tenido reflejo ni impacto. Pero gracias a la contabilidad triangular, sí que se aprecia un impacto en dos grupos distintos, por lo que existe movimiento de flujos dentro de la empresa, aunque su efecto final sea neutro.

Si elaboramos el estado de flujos de efectivo solo con los movimientos de este hecho contable, simplemente reflejando los saldos de las cuentas de flujo (que coinciden con el importe del movimiento del asiento) en sus respectivas partidas del estado, quedaría de la siguiente manera:

estado de flujos de efectivo	
A) Flujos de efectivo DE LAS ACTIVIDADES DE EXPLOTACIÓN	
1. Resultado del asiento antes de impuestos.	**0,00**
2. Ajustes del resultado.	**0,00**
3. Cambios en el capital corriente.	**0,00**
4. Otros flujos de efectivo de las actividades de explotación.	**0,00**
5. Flujos de efectivo de las actividades de explotación (+/–1+/–2+/–3+/–4)	**0,00**
B) Flujos de efectivo DE LAS ACTIVIDADES DE INVERSIÓN	
6. Pagos por inversiones (–).	**–3.540,00**
c) Inmovilizado material.	–3.000,00
g) Otros activos.	–540,00
7. Cobros por desinversiones (+).	
8. Flujos de efectivo de las actividades de inversión (7–6)	**–3.540,00**
C) Flujos de efectivo DE LAS ACTIVIDADES DE FINANCIACIÓN	
9. Cobros y pagos por instrumentos de patrimonio.	
10. Cobros y pagos por instrumentos de pasivo financiero.	**3.540,00**
a) Emisión	
4. Otras deudas (+).	3.540,00
11. Pagos por dividendos y remun. de otros instrumentos de patrimonio.	
12. Flujos de efectivo de las actividades de financiación (+/–9+/–10–11)	**3.540,00**
D) Efecto de las variaciones de los tipos de cambio	**0,00**
E) AUMENTO/DISMIN.NETA EFECTIVO O EQUIVALENTES (+/–5+/–8+/–12+/–D)	**0,00**
Efectivo o equivalentes al comienzo del periodo	0,00
Efectivo o equivalentes al final del periodo.	0,00

Tal como se aprecia, el impacto en el total de aumento o disminución del efectivo es neutro, pero en los distintos grupos se ha producido un movimiento de flujos. En el grupo B de las actividades de inversión se ha producido una salida de flujo por valor de 3.540,00 u.m. por la adquisición del inmovilizado. En el grupo C ha habido una entrada de flujo por valor de 3.540,00 u.m. por la financiación de la adquisición del inmovilizado. El registro de este movimiento aporta información relevante acerca de los movimientos de flujo por inversión y financiación que se han producido en el asiento. La elaboración tradicional del estado de flujos de efectivo no reflejaría este movimiento, por lo que se mostraría vacío, no aportando ninguna información directa al respecto.

Si realizamos el ejercicio mental de tomar el hecho contable de este ejemplo y suponer que en vez de la financiación ajena proporcionada por el proveedor, la empresa hubiera obtenido la financiación a través de una entidad bancaria, y hubiera pagado al contado la inversión y paralelamente obtenido la financiación, el impacto continuaría siendo nulo respecto a la variación del flujo de efectivo, pero bajo la elaboración tradicional del estado de flujos de efectivo sí que habría movimientos en los grupos de inversión y financiación, porque se hubiera producido una entrada de efectivo y una salida de efectivo. Luego, ¿qué diferencia hay para el movimiento de flujos (que no de efectivo), y sin tener en cuenta posibles costes financieros, en que se haya financiado con proveedores o por una entidad bancaria? El movimiento de flujos es el mismo en ambos supuestos y el impacto en la variación del efectivo también es el mismo, pero gracias a la contabilidad triangular, ambos quedarán reflejados en el estado de flujos de efectivo.

• ASIENTO 3

Descripción: La sociedad compra de mercancías por importe de 7.000,00 u.m. (IVA 18 %). Pago contado 50 %, resto pago a 60 días fecha entrega.

Cuenta de flujo afectada: Este asiento afecta a dos cuentas de flujos de sendas partidas del estado. Por un lado, afecta a cambios en el capital corriente, al epígrafe acreedores y otras cuentas a cobrar, por la financiación a 90 días, ya que las compras de mercancías se utilizan para la explotación de la sociedad (se registra como consumo, no como existencias), registrándose en positivo al tratarse de un incremento del pasivo corriente. Por lo tanto, la cuenta de flujo será: **A03d0003**. Por otro lado, afecta también al epígrafe 3.Cambios en el capital corriente por el impuesto del Valor Añadido[33], que se registrará en negativo al asimilarse a un incremento del activo corriente, en el subepígrafe c)Otros activos corrientes, siendo la cuenta de flujo la **A03c0002**.

Asiento:

Asiento 3: Fecha 30-1-20xx

Debe						Haber
7.000,00	6000000	Compra mercancías	a	4000003	Proveedor 3	4.130,00
1.260,00	4720000	HP IVA soportado		5720001	Banco 1	4.130,00
		A03d0003		*Acreedores y otras cuentas a pagar. Proveedor 3*		
		4.130,00				
		A03c0002		*Otros activos corrientes. IVA soportado*		
		−1.260,00				
		Flujo				

Cuadre:

A nivel de asiento:

$$+ \sum \text{Ctas. Rtdos.} + \sum \text{Ctas. Flujo} = \sum \text{Ctas. tesorería}$$

$\sum$ **Ctas. Rtdos.** = −7.000,00 por el movimiento en la cuenta 600000 Compra de mercancías (en negativo al ser pérdidas/gastos). En este hecho contable solo interviene una cuenta de pérdidas.

$\sum$ **Ctas. Flujo**: +4.130,00 por la cuenta A03d0003 y −1.260,00 por la cuenta A03c0002 = **2.870,00** u.m.

$\sum$ **Ctas. tesorería** = −4.130,00 por la cuenta del grupo 57: 5720001. En negativo por tratarse de una salida de efectivo.

---

[33] Nótese que en este asiento, a diferencia del anterior, el IVA soportado se registra en el grupo de actividades de explotación, ya que está vinculado a la compra de mercancías dentro del ciclo de explotación de la sociedad, y por tanto se codificará en el epígrafe en el grupo A) relativo a las actividades de explotación, en el epígrafe 3.Cambios en el capital corriente, dentro de c) Otros activos corrientes, al considerarse una financiación de flujos que surgen de la actividad de explotación para la Administración Pública. También cabría la alternativa, cuestionable, de registrarse el IVA soportado en el epígrafe 4.Otros flujos de efectivo de las actividades de explotación, dentro de e) Otros pagos (cobros), al separarse de la actividad pura de explotación y asimilarse este epígrafe 4 a impuestos indirectos (ya que los directos se recogen en este mismo epígrafe).

Por tanto, $-7.000,00 + 2.870,00 = -4.130,00$ → Cuadrado

A nivel de asiento global (cuentas de flujo y de patrimonio):

$$\sum \text{Debe} + \sum \text{Ctas. Rtdo.} + \sum \text{Ctas. Flujo} = \sum \text{Ctas. tesorería} + \sum \text{Haber}$$

En donde el debe y el haber son igual a 8.260,00 u.m.;

$8.260,00 - 7.000,00 + 2.870,00 = -4.3130 + 8.260,00$ → $4.130,00 =$ $4.130,00$ → Cuadrado

---

- ## ASIENTO 4

Descripción: Venta de mercaderías por importe de 10.000,00 u.m. (IVA repercutido del 18 %). Las ventas, según pacto con el cliente, se cobrarán a 30 días.

Cuenta de flujo afectada: Este asiento afectará a dos partidas del estado de flujos de efectivo, y por consiguiente a dos cuentas de flujo. La primera cuenta de flujo afectada, al existir financiación al cliente, se codificará en la partida b) Deudores y otras cuentas a cobrar, del epígrafe 3.Cambios en el capital corriente, cuenta de flujo: **A03b0001**. La segunda cuenta de flujo será la que registra el movimiento del IVA repercutido, y afecta la partida e) Otros pasivos financieros del epígrafe 3.Cambios en el capital corriente, cuenta de flujo: **A03e0002**.

Asiento:

Asiento 4: Fecha 15-2-20xx

Debe						Haber
11.800,00	4300001	Cliente 1	a	7000001	Ventas Mercancías 1	10.000,00
				4770000	HP IVA repercutido	1.800,00
	A03b0001			*Deudores y otras cuentas a cobrar. Cliente 1*		
	−11.800,00					
	A03e0002			*Otros pasivos corrientes. IVA repercutido*		
	1.800,00					
	Flujo					

Cuadre:

A nivel de asiento:

$$+ \sum \text{Ctas. Rtdos.} + \sum \text{Ctas. Flujo} = \sum \text{Ctas. tesorería}$$

$+ \sum$ **Ctas. Rtdos.** = 10.000,00, en positivo al tratarse de beneficios, por el movimiento de la cuenta 7000001 Ventas de Mercancías.

$\sum$ **Ctas. Flujo** = −11.800,00 por el movimiento de la cuenta A03b0001 + 1.800,00 por el movimiento de la cuenta A03e0002 = −10.000,00 u.m.

$\sum$ **Ctas. tesorería** = 0,00. No se han producido movimientos en las cuentas de tesorería.

Por tanto, 10.000,00 −10.000,00 = 0,00 → Cuadrado

A nivel de asiento global (cuentas de flujo y de patrimonio):

$$\sum \text{Debe} + \sum \text{Ctas. Rtdo.} + \sum \text{Ctas. Flujo} = \sum \text{Ctas. tesorería} + \sum \text{Haber}$$

En donde el debe y el haber son igual a 11.800,00 u.m., por lo tanto:

11.800,00 + 10.000,00 − 10.000,00 = 0,00 + 11.800,00 → 11.800,00 = 11.800,00 → Cuadrado

---

- **ASIENTO 5**

Descripción: El Cliente 1, a los 30 días, solo nos paga a través de transferencia el 50 % de la deuda pendiente por las ventas realizadas y que fueron registradas en el asiento anterior.

Cuenta de flujo afectada: Al reducirse la financiación al cliente por pago de este, afecta positivamente al flujo de efectivo, y se registrará dentro del epígrafe 3.Cambios en el capital corriente, dentro de la partida b)Deudores y otras cuentas a cobrar (donde se registró la financiación de la venta). La cuenta de flujo será **A03b0001**, por lo que el libro mayor de esta cuenta de flujo presenta dos movimientos, uno por el asiento anterior, el otorgamiento de la financiación al cliente, y otro por el movimiento que se ha producido en este hecho contable: la reducción de la financiación por la amortización de parte de la deuda del cliente.

Asiento:

Asiento 5: Fecha 15-3-20xx

Debe						*Haber*
5.900,00	5720001	Banco 1	a	43000001	Cliente 1	5.900,00
	A03b0001			*Deudores y otras cuentas a cobrar. Cliente 1*		
	5.900,00					
	Flujo					

Cuadre:

A nivel de asiento:

$$+ \sum \text{Ctas. Rtdos.} + \sum \text{Ctas. Flujo} = \sum \text{Ctas. tesorería}$$

$+ \sum$ **Ctas. Rtdos.** = 0,00 en el asiento no intervienen cuentas de resultados.

$+ \sum$ **Ctas. Flujo**: +5.900,00 por el movimiento de la cuenta de flujo A03b0001.

$\sum$ **Ctas. tesorería** = 5.900,00 por el movimiento en la cuenta 5720001 de bancos, en positivo por tratarse de una entrada de efectivo.

Por tanto, 0 + 5.900,00 = 5.900,00 → Cuadrado

A nivel de asiento global (cuentas de flujo y de patrimonio):

$$\sum \text{Debe} + \sum \text{Ctas. Rtdo.} + \sum \text{Ctas. Flujo} = \sum \text{Ctas. tesorería} + \sum \text{Haber}$$

En donde el debe y el haber son igual a 5.900,00 u.m., por lo tanto:

5.900,00 + 0,00 + 5.900,00 = 5.900,00 + 5.900,00 → 11.800,00 = 11.800,00 → Cuadrado

A continuación se muestra el libro mayor de la cuenta de flujo A03b0001 Deudores y otras cuentas a cobrar. Cliente 1:

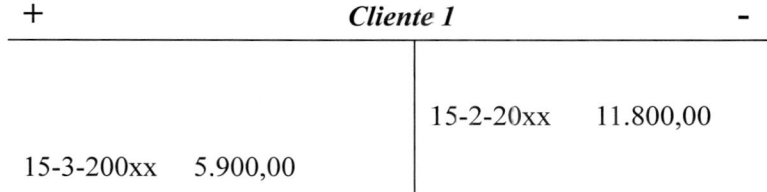

A03b0001 *Deudores y otras cuentas a cobrar.*

| + | *Cliente 1* | - |

	15-2-20xx 11.800,00
15-3-200xx 5.900,00	

Saldo: –5.900,00 u.m.

El primer movimiento, del 15-2-20xx, corresponde al asiento número 4 y refleja el movimiento de flujo por la financiación facilitada al Cliente 1. El segundo movimiento, de fecha 15-3-20xx, que corresponde al asiento número 5, registra el pago de parte de la deuda por parte del Cliente 1, es decir, la reducción de la financiación otorgada al Cliente 1.

El saldo de la cuenta a fecha del 15-3-20xx es de –5.900,00 u.m. (en negativo).

Si estructuramos el libro mayor en formato de extracto puede visualizarse la evolución del saldo, lo que permite conocer y analizar su evolución:

Extracto Cuenta **A03b0001** *Deudores y otras cuentas a cobrar. Cliente 1*

Fecha	Concepto	Número asiento	Importe	Saldo Acumulado
15-2-20xx	Financiación cliente	4	–11.800,00	–11.800,00
15-3-20xx	Pago parcial deuda	5	+5.900,00	–5.900,00

Observando la columna del saldo acumulado se aprecia la evolución que ha tenido la cuenta de flujo durante el periodo mostrado. Aunque este ejemplo pueda parecer muy simple, la contabilidad triangular permite obtener la evolución de una cuenta de flujo, y, por extensión, la evolución del saldo de una determinada partida del estado de flujos de efectivo, con lo que facilita información relevante respecto a la evolución de los movimientos de flujo, vital para el conocimiento de la salud financiera de la empresa.

Con los datos de este ejemplo, en la elaboración del estado de flujos de efectivo, en la partida b)Deudores y otras cuentas a cobrar (+/−) se reflejaría un importe de −5.900,00 en negativo, que corresponde al saldo de la cuenta de flujo **A03b0001**[34], y gracias al extracto que proporciona la cuenta de flujo a través del uso de la contabilidad triangular, se puede analizar cuál ha sido la evolución del mismo desde la propia cuenta de flujo.

- **ASIENTO 6**

Descripción: La empresa paga a través de transferencia el 50 % restante de su deuda a los proveedores por su compra registrada en el asiento número 3.

Cuenta de flujo afectada: Al hacer frente al pago de una deuda registrada, afectará negativamente al flujo al reducirse la financiación ajena, codificándose en la cuenta de flujo **A03d0003**, donde se registró en el asiento número 3 la financiación obtenida por la compra.

Asiento:

			Asiento 6: Fecha 31-3-20xx				
Debe							*Haber*
4.130,00	4000003	Proveedor 3	a	5720001	Banco 1		4.130,00
	A03d0003				*Acreedores y otras cuentas a pagar. Proveedor 3*		
	−4.130,00						
	Flujo						

Cuadre:

A nivel de asiento:

$$+ \sum \text{Ctas. Rtdos.} + \sum \text{Ctas. Flujo} = \sum \text{Ctas. tesorería}$$

$+ \sum$ **Ctas. Rtdos.** = 0,00 No se han producido movimientos en las cuentas de pérdidas y ganancias.

---

[34] En este ejemplo solo existe una cuenta de flujo que se registre en la partida b)Deudores y otras cuentas a cobrar del estado de flujos de efectivo, la A03b001, por lo que coincidiría el saldo de la cuenta con el importe reflejado en dicha partida del estado.

+ $\sum$ **Ctas. Flujo**: –4.130,00 por el movimiento negativo de la cuenta A03d003.

$\sum$ **Ctas. tesorería** = –4.130,00 movimiento en negativo por tratarse de una salida de efectivo registrada en la cuenta 5720001 Banco 1, por el pago al proveedor.

Por tanto, 0,00 – 4.130,00 = –4.130,00 → Cuadrado

A nivel de asiento global (cuentas de flujo y de balance):

$$\sum \textbf{Debe} + \sum \textbf{Ctas. Rtdo.} + \sum \textbf{Ctas. Flujo} = \sum \textbf{Ctas. tesorería} + \sum \textbf{Haber}$$

En donde el debe y el haber son igual a 4.130,00 u.m., por lo tanto:

4.130,00 + 0,00 – 4.300,00 = –4.300,00 + 4.300,00 → 0,00 = 0,00 → Cuadrado

En este asiento también podemos visualizar y analizar el extracto de la cuenta A03d0001 Acreedores y otras cuentas a pagar. Proveedor 3, ya que acumula dos movimientos:

Extracto Cuenta **A03d0001** *Acreedores y otras cuentas a pagar. Proveedor 3*

Fecha	Concepto	Número asiento	Importe	Saldo Acumulado
31-1-20xx	Financiación parcial proveedor 3	3	+4.130,00	+4.130,00
31-3-20xx	Pago total deuda a proveedor 3	6	- 4.130,00	0,00

Como puede apreciarse, la evolución de esta cuenta está compuesta por un movimiento por la financiación obtenida del proveedor 3 por importe de 4.130,00 a fecha 31-1-20xx, y un segundo movimiento, de 31-3-20xx, por el pago de la deuda pendiente con el proveedor (–4.300,00), por lo que el saldo final de la cuenta de flujo es cero.

En este ejemplo el estado de flujos de efectivo no mostrará importe en su partida d)Acreedores y otras cuenta a cobrar del epígrafe 3.Cambios en el capital corriente, ya que al mostrar la foto a una determinada fecha, no muestra la evolución de la misma. La contabilidad triangular permite al usuario de la información contable examinar y conocer el saldo y el movimiento que se ha producido en dicha partida, por tanto, ofrece mucha más información de la partida del estado, su origen y evolución que la que pueda obtenerse directamente a través de la contabilidad de partida doble.

•   ASIENTO 7

Descripción: La sociedad solicita financiación a un Entidad Financiera, que le concede un préstamo por importe de 15.000,00 u.m., al 4 %, a 2 años, sistema francés de amortización con cuentas constantes mensuales, pagaderas el último día del mes[35].

Para simplificar los cálculos en cuanto a los devengos de intereses entre corto plazo y largo plazo, se toma como fecha de concesión del préstamo el primer día del ejercicio. Los datos principales del préstamo son:

Cuota mensual	196,76
Intereses totales	1.722,25
Principal amortizado año 1	1.153,39
Principal amortizado año 2	1.846,61
Intereses a pagar año 1	1.207,74
Intereses a pagar año 2	514,51

Cuenta de flujo afectada: El registro de la concesión de la financiación afecta al grupo C relativo a las actividades de financiación, dentro del epígrafe 10. Cobros y pagos por instrumentos de pasivo financiero, de la partida a)Emisión, y de la subpartida 2.Deudas con entidades de crédito. Por lo tanto, la estructuración de la cuenta de flujo será **C10a2001**. Cabe aquí la posibilidad, al igual que ocurre en la contabilidad de las cuentas de balance, de desglosar las cuentas de flujo entre el corto plazo y el largo plazo, de tal forma que podemos tener dos cuentas de flujo, la **C10a2001** para el corto plazo y la **C10a2002** para el largo plazo, consiguiendo de esta forma que el detalle de las partidas del estado de flujos de efectivo contenga información más precisa respecto a la financiación y su plazo. Ambos flujos se registran en positivo al tratarse de un incremento del pasivo. El criterio para discernir el largo y el corto plazo es el clásico: menor de un año se considera corto plazo y mayor de un año, largo plazo.

---

[35] En el anexo II se muestra el cuadro de amortización del préstamo.

Asiento:

Debe							Haber
3.000,00	5720001	Banco 1	a	5200001	Deudas C/P con Ent. Cto.		1.153,39
				1700001	Deudas L/P con Ent. Cto.		1.846,61
			C10a2001		*Cobros y pagos instrumentos financieros. Pasivo*		
			1.153,39		*financiero. Deudas Ent. Cto. C/P. Principal*		
			C10a2002		*Cobros y pagos instrumentos financieros. Pasivo*		
			1.846,61		*financiero. Deudas Ent. Cto. L/P. Principal*		
			Flujo				

Cuadre:

A nivel de asiento:

$$+ \sum \text{Ctas. Rtdos.} + \sum \text{Ctas. Flujo} = \sum \text{Ctas. tesorería}$$

$+ \sum$ **Ctas. Rtdos.** = 0,00 En el asiento no han intervenido cuentas de pérdidas o ganancias.

$+ \sum$ **Ctas. Flujo** = En el asiento se han registrado dos cuentas de flujo: La *C10a2001 Cobros y pagos instrumentos financieros. Pasivo financiero. Deudas Ent. Cto. C/P. Principal* por 1.153,39 u.m.(en positivo) por el flujo por la financiación obtenida a corto plazo y 1.846,61 u.m. (en positivo) en la cuenta *C10a2002 Cobros y pagos instrumentos financieros. Pasivo financiero. Deudas Ent. Cto. L/P. Principal* por el flujo de financiación a largo plazo. Quedando:

+1.1539,39 u.m. + 1.816,61 u.m. = +3.000,00 u.m. del total de los movimientos de las cuentas de flujo en este asiento.

$\sum$ **Ctas. tesorería** = +3.000,00 en positivo por la entrada de efectivo en la cuenta de Bancos 5720001.

Por tanto, 0,00 + 3.000,00 = 3.000,00 → Cuadrado

A nivel de asiento global (cuentas de flujo y de balance):

$$\sum \text{Debe} + \sum \text{Ctas. Rtdo.} + \sum \text{Ctas Flujo} = \sum \text{Ctas. tesorería} + \sum \text{Haber}$$

En donde el debe y el haber son igual a 3.000,00 u.m., por lo tanto:

3.000,00 + 0,00 + 3.000,00 = 3.000,00 + 3.000,00 → 6.000,00 = 6.000,00
→ El asiento de la contabilidad triangular está cuadrado.

Llegados a este punto del ejemplo práctico, podemos realizar el ejercicio de agrupar todos los movimientos registrados hasta el momento y corroborar que la igualdad cumple el principio básico de la contabilidad triangular: que en cualquier momento la suma de todos los movimientos de las cuentas de resultados más la suma de todos los movimientos de las cuentas de flujo tiene que ser igual que la suma de todos los movimientos en las cuentas de tesorería[36].

Por tanto, si tenemos que:

$$+ \sum \text{Ctas. Rtdo.} + \sum \text{Ctas. Flujo} = \sum \text{Ctas. tesorería}$$

y lo aplicamos para todos los movimientos que se han realizado hasta ahora, debería cumplirse el principio básico, es decir, la igualdad. En definitiva, que esté cuadrado.

Para una mejor visualización de la igualdad, seguidamente se muestran los movimientos agrupados para cada una de las partes de la misma, en donde NA es el número del asiento donde se ha registrado el movimiento (para así facilitar el seguimiento).

En la columna de $\sum$ **Ctas. Rtdo.** se relacionan de forma escalar los movimientos que se han producido en las cuentas de pérdidas y ganancias, que han sido 2: en el cuarto asiento por las ventas y en el tercer asiento por el registro de las compras. Los movimientos de las cuentas de gastos o pérdidas se reflejan en negativo y los movimientos de las cuentas de beneficios o ingresos en positivo.

---

[36] Es análogo al cuarto principio básico de la contabilidad tradicional, que plantea que en cualquier momento la suma del DEBE de todos los hechos contables tiene que ser igual a la suma del HABER.

En la columna $\sum$ **Ctas. Flujo** se relacionan las cuentas de flujo y los importes de sus respectivos movimientos, manteniendo el signo con el que se han registrado.

En la columna de $\sum$ **Ctas. tesorería** se detallan los movimientos de las cuentas del grupo 57 de tesorería. En este ejemplo, al existir solo una cuenta del grupo 57, la 5720001 Bancos 1, se muestra el libro mayor de dicha cuenta, y el total de sus movimientos, obviamente, será el saldo que presenta la cuenta.

	$\sum$ Ctas. Rtdo.			$\sum$ Ctas. Flujo			$\sum$ Ctas. tesorería		
NA	Concepto	Importe	NA	Cuenta flujo	Importe	NA	D	5720001	H
4	7000001 Ventas	10.000,00	1	C09a0001	10.000,00	1	10.000,00		
3	6000000 Compras	−7.000,00	2	B06c0001	−3.000,00	3			4.130,00
			2	C10a4001	3.540,00	5	5.900,00		
			2	B06g0001	−540,00	6			4.130,00
			3	A03d0003	4.130,00	7	3.000,00		
			3	A03c0002	−1.260,00				
			4	A03b0001	−11.800,00				
			4	A03e0002	1.800,00				
			5	A03b0001	5.900,00				
			6	A03d0003	−4.130,00				
			7	C10a2001	1.153,39				
			7	C10a2002	1.846,61				

$+\sum$ **Ctas. Rtdo.** = **3.000,00** $+\sum$ **Ctas. Flujo** = **7.640,00**   **Saldo 5720001** = **10.640,00**

$\sum$ Ctas. Rtdo.	+	$\sum$ Ctas. Flujo	=	$\sum$ Ctas. tesorería
3.000,00	+	7.640,00	=	10.640,00

Por lo tanto, el principio de igualdad se cumple para el acumulado de todos los movimientos que se han registrado hasta el momento, es decir, para el periodo que va desde el inicio de la actividad de la empresa hasta el asiento número 7.

De forma intuitiva se puede comprender que dicha igualdad se cumplirá también para los movimientos agrupados para movimientos en periodos intermedios, que no coincidían con el inicio y/o el final del ejercicio contable. Si dicha igualdad se cumple para un solo asiento y también para todos los asientos acumulados, es fácil intuir que se cumplirá para los movimientos de los asientos de un determinado periodo acotado. Gracias a esta característica en el cumplimiento de esta igualdad, y al registro de los movimientos de las cuentas de flujos, puede elaborarse fácil y directamente el estado de flujos de efectivo para cualquier periodo, simplemente acotando las fechas de los asientos.

• ASIENTO 8

Descripción: Pago de las cuotas del préstamo. Para evitar repeticiones de asientos y simplificar el ejemplo práctico, se ha agregado en un solo asiento el registro de las 12 cuotas pagadas mensualmente. 12 cuotas x 196,76 u.m. por cuota = 2.361,13 u.m.

Cuenta de flujo afectada: El registro en cuentas de flujo afectará a dos partidas.

Por un lado, se registrará en el grupo C de financiación, en el epígrafe 10 de Cobros y pagos de instrumentos financieros, en la partida b) Devolución y amortización, en la subpartida 2.Deudas con entidades de crédito, y distinguiéndose la parte de principal de la parte de intereses (consiguiendo un detalle mucho más preciso, aunque podría prescindirse de dicho desglose). Las cuentas de flujo serán: **C10b2001** para el principal y la **C10b2003** para los intereses, ambas se registrarán en negativo al tratarse de una disminución del pasivo.

Nótese que en el grupo C de las actividades de financiación se registran tanto el principal como los intereses, clasificándose en este grupo la remuneración por la financiación ajena[37]. En la construcción clásica del estado de flujos de efectivo, en la mayoría de ocasiones, los intereses no se registran en este grupo, sino que se registran en el grupo de actividades de explotación, tal como se estructura el estado y estipula las normas de elaboración del mismo, pero la

---

[37] También en el grupo C de financiación se registran los dividendos pagados, es decir, la remuneración de los fondos propios, por tanto, parece coherente registrar también en dicho grupo la remuneración de la financiación ajena.

NIC 7 permite registrar los intereses inherentes a las actividades de financiación en el grupo de la financiación, y la contabilidad triangular consigue discernir entre los grupos, por lo que se toma este criterio. En el estado de flujos de efectivo, dentro del grupo C no existe una partida específica que nomine la remuneración de la financiación ajena, al contrario que la financiación propia, que sí recoge en el epígrafe 11 los pagos por dividendos y remuneraciones de otros instrumentos de patrimonio, por lo que para el registro de los intereses se han tomado las partidas recogidas en el epígrafe 10. Cobros y pagos por instrumentos de pasivos financieros.

Por tanto, dado que los intereses se registran en el grupo C de financiación, estos habrá que minorarlos de los flujos de efectivo de la actividad de explotación (grupo A) y que implícitamente se registran a través del resultado del ejercicio. A través de un ajuste del resultado, en concreto en la partida h) Gastos financieros, se ajustan los intereses, siendo la cuenta de flujo afectada la **A02h0001**, y en positivo.

En esta partida, además, normalmente se registran los gastos financieros devengados y no pagados, pero en la hipótesis de este ejemplo, al coincidir el pago con el último día del mes, no se ha producido devengo de intereses pendientes de pago a cierre de ejercicio.

Asiento:

Asiento 8: Fecha 30-xx-20xx

Debe							Haber
1.207,74	6624001	Intereses deudas Ent. Cto.	a	5720001	Banco 1	2.361,13	
1.153,39	1700001	Deudas L/P con Ent. Cto.					
			C10b2001	*Cobros y pagos instrumentos financieros. Pasivo financiero. Deudas*			
			−1.153,39	*Entidades Cto. C/P. Principal*			
			C10b2003	*Cobros y pagos instrumentos financieros. Pasivo financiero. Deudas*			
			−1.207,74	*Entidades Cto. Pago Intereses*			
			A02h0001				
				Ajustes resultados. Gastos financieros			
			1.207,74				
			Flujo				

Cuadre:

A nivel de asiento:

$$+ \sum \text{Ctas. Rtdos.} + \sum \text{Ctas. Flujo} = \sum \text{Ctas. tesorería}$$

$+ \sum$ **Ctas. Rtdos.** $= -1.207{,}74$, por el registro del gasto en la cuenta 6624001 Intereses de deudas con Entidades de crédito.

$+ \sum$ **Ctas. Flujo**: $-1.153{,}39$ por el movimiento de la cuenta C10b2001, $-1.207{,}74$ por el movimiento registrado en la cuenta C10b2003 y $+1.207{,}74$ pro el movimiento de la cuenta de flujo A02h001. El total de los movimientos de las cuentas de flujo es igual a: $-1.153{,}39 - 1.207{,}74 + 1.207{,}74 = $ **$-1.153{,}39$ u.m**.

$\sum$ **Ctas. tesorería** $= -2.361{,}13$ (en negativo al ser una salida de efectivo).

Por tanto, $-1.207{,}74 - 1.153{,}39 = -2.361{,}13$ → Cuadrado

A nivel de asiento global (cuentas de flujo y de balance):

$$\sum \text{Debe} + \sum \text{Ctas. Rtdo.} + \sum \text{Ctas. Flujo} = \sum \text{Ctas. tesorería} + \sum \text{Haber}$$

En donde el debe y el haber son igual a 2.361,13 u.m., por lo tanto:

$+2.361{,}13 - 1.207{,}74 - 1.153{,}39 = -2.361{,}13 + 2.361{,}13$ → $0{,}00 = 0{,}00$ → Cuadrado

Una segunda opción, y cumpliendo de una forma estricta con lo que estipula el NPGC respecto a la elaboración del estado de flujos de efectivo, sería reflejar los flujos de los intereses de la remuneración de capitales ajenos dentro de las actividades de explotación, minorando dichos intereses de la partida h)Gastos financieros dentro del epígrafe 2. Ajustes de Resultados y registrándolos en la partida a)Pagos de intereses del epígrafe 4. Otros flujos de las actividades de explotación. Por tanto, intervendría igualmente en el asiento la cuenta de flujo **A02h0001** *Ajustes resultados. Gastos financieros*, y la nueva cuenta de flujo en donde se registrarían los intereses, dentro de las actividades de explotación sería la **A04a0001** *Otros flujos de explotación. Pagos de intereses*.

El asiento, los importes de los movimientos de flujo y el cuadre quedarían exactamente igual que en el asiento original, y solo cambiaría la cuenta **C10b2003** *Cobros y pagos instrumentos financieros. Pasivo financiero. Deudas Entidades Cto. Pago Intereses* por la ***A04a0001***. La diferencia se produciría en el estado de flujos de efectivo, en donde el movimiento de flujo por importe de −1.207,74 u.m. en lugar de reflejarse en las actividades de financiación (dentro del epígrafe 10) se mostraría como actividad de explotación dentro del epígrafe 4.Otros flujos de las actividades de explotación. Esta diferencia provoca que se interprete de forma distinta el análisis de los flujos de efectivo de la empresa y, por extensión, su capacidad de generar y/o remunerar la financiación, por lo que resulta vital la diferenciación de los intereses pagados por los capitales ajenos, entre aquellos que se engloban dentro del ciclo de explotación habitual y los que son para financiar inversiones. La contabilidad triangular resulta una buena herramienta para facilitar la diferenciación de ambos flujos, llegando al detalle del hecho contable.

• ASIENTO 9

Descripción: La empresa paga la compra de inmovilizado material (registrada en el asiento 2) de 3.540,00 u.m. a través de transferencia bancaria.

Cuenta de flujo afectada: El registro de este asiento afecta al grupo C) de financiación (que es donde se registró la financiación obtenida por la compra). Por tanto, se codificará el grupo C, epígrafe 10. Cobros y pagos de pasivo financiero, dentro de la partida b) Devolución y amortización, subpartida 4. Otros deudas: **C10b4001**. Se registrará en negativo al tratarse de una disminución del pasivo financiero.

Asiento:

Asiento 9: Fecha 3-7-20xx

Debe						Haber
3.540,00	4100001	Acreedor 1 Equipo IT	a	5720001	Banco 1	3.540,00
	C10b4001				*Cobros y pagos instrumentos financieros. Pasivo financiero. Otras deudas*	
	−3.540,00					
	Flujo					

Cuadre:

A nivel de asiento:

$$+ \sum \text{Ctas. Rtdos.} + \sum \text{Ctas. Flujo} = \sum \text{Ctas. tesorería}$$

$+ \sum$ **Ctas. Rtdos.** = 0,00 No interviene ninguna cuenta de pérdidas o ganancias en el asiento.

$+ \sum$ **Ctas. Flujo**: –3.540,00 u.m. por el movimiento de flujo registrado en la cuenta C10b4001 Cobros y pagos instrumentos financieros. Pasivo financiero. Otras deudas.

$\sum$ **Ctas. tesorería** = –3.540,00 u.m. En negativo al tratarse de una salida de efectivo de la cuenta 5720001, que pertenece al grupo 57 del plan de cuentas.

Por tanto, 0,00 – 3.540,00 = –3.540,00 → Cuadrado

A nivel de asiento global (cuentas de flujo y de balance):

$$\sum \text{Debe} + \sum \text{Ctas. Rtdo.} + \sum \text{Ctas. Flujo} = \sum \text{Ctas. tesorería} + \sum \text{Haber}$$

En donde el debe y el haber son igual a 3.540,00 u.m., por lo tanto:

+3.540,00 + 0,00 – 3.540,00 = –3.540,00 + 3.540,00 → 0,00 = 0,00 → Cuadrado

Cabe aquí una reflexión sobre los movimientos de flujos de financiación (o inversión) y su registro en la cuenta de flujo: las cuentas de flujo relativas a las actividades de inversión o de financiación están separadas si se trata de aumentos o de disminuciones, a diferencia de la contabilidad tradicional o de las cuentas de flujo relativas a las actividades de explotación, en donde, de la deuda facilitada por un proveedor, se registra tanto el aumento como la disminución en una misma cuenta.

Para una mejor comprensión tomamos como ejemplo los hechos contables del asiento 2: Compra de inmovilizado que se financia por el acreedor, y el asiento 9: pago al acreedor de la deuda. El libro mayor de la cuenta 4100001 Acreedor 1 Equipo IT, queda como sigue:

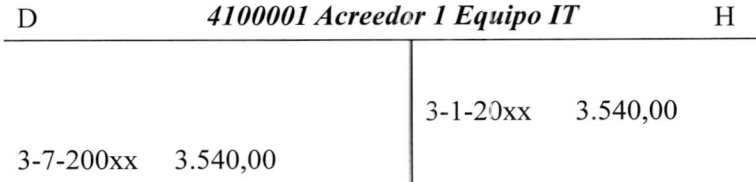

D   **4100001 Acreedor 1 Equipo IT**   H

                                    3-1-20xx   3.540,00

3-7-200xx   3.540,00

Saldo: 0,00 u.m.

El saldo final queda cero al registrar el reconocimiento y la cancelación de la deuda en una misma cuenta. Si construyéramos el balance tras el registro del asiento 9, esta cuenta ya no aparecería, puesto que la obligación frente al acreedor ya no existe, por tanto, no está reflejada.

En cambio, el movimiento de flujo de los dos hechos contables anteriores afecta a dos cuentas distintas: la ***C10a4001*** *Cobros y pagos instrumentos financieros. Pasivo financiero. Emisión otras deudas,* donde se registra el movimiento positivo de flujo por la entrada de financiación y la cuenta de flujo ***C10b4001*** *Cobros y pagos instrumentos financieros. Pasivo financiero. Otras deudas,* donde se refleja el movimiento negativo de flujo por la amortización de la deuda obtenida. Los libros mayores de ambas cuentas de flujo son:

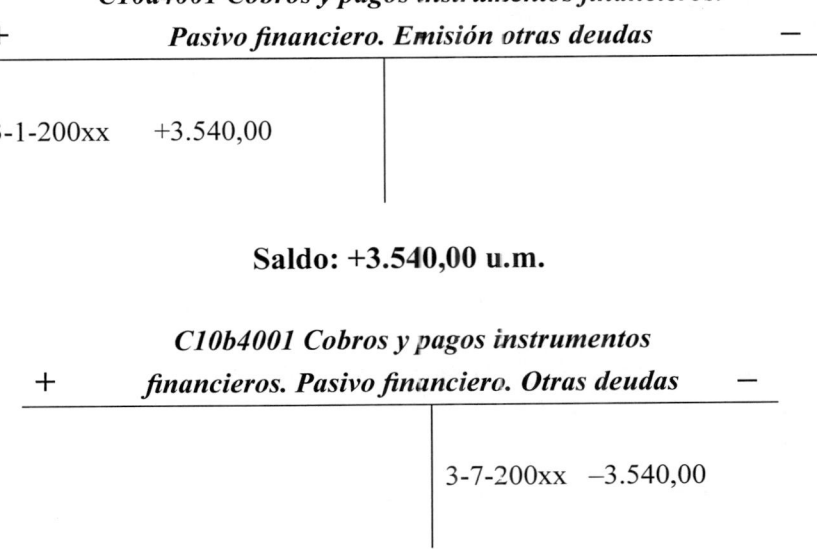

C10a4001 Cobros y pagos instrumentos financieros.

\+   **Pasivo financiero. Emisión otras deudas**   −

3-1-200xx   +3.540,00

Saldo: +3.540,00 u.m.

C10b4001 Cobros y pagos instrumentos

\+   **financieros. Pasivo financiero. Otras deudas**   −

                                    3-7-200xx   −3.540,00

Saldo: −3.540,00 u.m.

Como se aprecia, las dos cuentas presentan el mismo saldo, pero en signo contrario, al tratarse de un flujo relativo a una misma operación.

La contabilidad triangular y, por extensión, el estado de flujos de efectivo, refleja separadamente los volúmenes de movimientos de flujo que suponen aumentos de los que suponen disminuciones. La razón es obvia: conocer los volúmenes de flujos de entrada y salida de la financiación o de la inversión de una forma independiente, ya que si se compensaran la información obtenida de los movimientos no reflejaría la situación ni el movimiento real de los flujos.

• ASIENTO 10

Descripción: El Cliente 1, cuya venta fue registrada en el asiento número 4, nos comunica problemas de liquidez y que no sabe cuándo podrá hacer frente a la deuda pendiente. (Un 50 % ya fue abonado a la empresa a los 30 días de la venta, registrado en el asiento número 5).

Ante tal situación, la sociedad decide, transcurridos 6 meses desde el inicio de la deuda, registrar una pérdida por deterioro de créditos por operaciones comerciales, ya que debido a la situación latente de insolvencia del cliente, no se denotan síntomas de que mejore su situación para poder hacer frente a la deuda.

Cuenta de flujo afectada: La contabilización en cuentas de flujo se realizará en tres movimientos, ya que afecta a dos epígrafes dentro del grupo A de Flujos de efectivo de las actividades de Explotación. Por un lado, la baja como cliente y el alta como cliente de dudoso cobro, que podría no registrarse, pero con la intención de obtener un mayor detalle del desglose del estado de flujos de efectivo se ha registrado dicho movimiento, que afectará a dos cuentas: la **A03b0001**, registrando la baja del saldo de financiación al cliente en positivo, al tratarse de una disminución de activo corriente (Partida: Deudores y otras cuentas a cobrar) y a la **A03b0003**, registrándose el alta como cliente de dudoso cobro en negativo al tratarse de un incremento de activo corriente, dentro de la misma partida de la cuenta de flujo donde se registró la baja del saldo de cliente. Como puede apreciarse, a nivel de partida no afecta al estado de flujos de efectivo, al codificarse ambos movimientos dentro de la misma partida, pero su desagregación permitirá, a través del detalle de cada partida, conocer desde el propio estado de flujos de efectivo su evolución.

Por otro lado, como el registro de esta operación afecta a conceptos recogidos como ajustes al resultado, deberá contabilizarse en las cuentas de flujo tal circunstancia, afectando a la partida b) Correcciones valorativas por deterioro, del epígrafe 2.Ajustes del resultado, por lo tanto, la cuenta sería **A02b0001**, registrándose en positivo al tratarse de un ajuste positivo (contrario a como afecta a la cuenta de resultados) o, visto desde el punto de vista del activo, como supone un abono en la cuenta de la grupo 490 Deterioro de valor de créditos por operaciones comerciales, que figuran en el activo del balance, supone una reducción del activo corriente y, por tanto, se asimila a un incremento del flujo de efectivo, siendo este positivo.

Asiento:

Asiento 10: Fecha 15-08-20xx

Debe						Haber
5.900,00	4360001	Cliente 1 dudoso cobro		4300001	Cliente 1	5.900,00
5.900,00	6940001	Pérdidas por deterioro de créditos por operaciones comerciales	a	4900001	Deterioro de créditos por operaciones comerciales	5.900,00
			A03b0001 5.900,00		*Deudores y otras cuentas a cobrar. Cliente 1*	
			A03b0003 −5.900,00		*Deudores y otras cuentas a cobrar. Cliente 1 dudoso cobro*	
			A02b0001 5.900,00		*Ajustes resultados. Corrección valorativa cliente. Deterioro cliente 1*	
			Flujo			

Cuadre:

A nivel de asiento:

$$+ \sum \text{Ctas. Rtdos.} + \sum \text{Ctas. Flujo} = \sum \text{Ctas. tesorería}$$

$+ \sum$ **Ctas. Rtdos.** = $-5.900,00$ en negativo por tratarse de una pérdida registrada en una cuenta del grupo 6: la 6940001 Pérdidas por deterioro de créditos por operaciones comerciales.

$+ \sum$ **Ctas. Flujo**: 5.900,00 en positivo por el movimiento de la cuenta A03b0001, $-5.900,00$ (en negativo) por el movimiento de la cuenta **A03b0003** y +5.900,00 (en positivo) por el movimiento de flujo registrado en la cuenta **A02b0001**. En total: $+5.900,00 - 5.900,00 + 5.900,00 = +\textbf{5.900,00}$

$+ \sum$ **Ctas. tesorería** = 0,00. No se ha producido ningún registro en las cuentas del grupo 57 de tesorería.

Por tanto, $-5.900,00 + 5.900,00 = 0,00 \rightarrow$ Cuadrado

A nivel de asiento global (cuentas de flujo y de balance):

$$\sum \text{Debe} + \sum \text{Ctas. Rtdo.} + \sum \text{Ctas. Flujo} = \sum \text{Ctas. tesorería} + \sum \text{Haber}$$

En donde el debe y el haber son igual a 11.800,00 u.m., por lo tanto:

$11.800,00 - 5.900,00 + 5.900,00 = 0,00 + 11.800,00 \rightarrow 11.800,00 = 11.800,00 \rightarrow$ Cuadrado

A continuación se realiza el balance de comprobación de sumas y saldos en la versión para la contabilidad triangular (tomando también las cuentas de flujo), de los 10 asientos del ejemplo registrados hasta el momento, para comprobar que los asientos realizados en el libro diario han sido correctamente registrados y ordenados en sus respectivas cuentas.

La esquematización del balance de comprobación será la misma que la utilizada en el capítulo "El balance de comprobación de sumas y saldos", donde se separan visualmente los subtotales para las cuentas de balance y los subtotales para las cuentas de flujo.

Dentro del subtotal de las cuentas de flujo se mostrarán dos líneas de subtotales:

- Por un lado, el subtotal en signo contrario de las cuentas del grupo 57,
- y, por otro lado, el subtotal con signo contrario de las cuentas de resultados, es decir, de los grupos 6 y 7.

Denominamos al subtotal del grupo 57— **Subtotal del grupo 57** (identificando un signo negativo delante), y al subtotal de los grupos 6 y 7: — **Subtotal de los grupo 6 y 7** (también con un signo negativo que le preceda).

El subtotal del grupo 57, en este ejemplo, coincide con el saldo de la cuenta 5720001, ya que es la única cuenta utilizada en el ejemplo. El libro mayor de dicha cuenta es el siguiente (en la parte izquierda se muestra el número del asiento al que pertenece el registro N.A.):

N.A.	D	*57200001 Banco 1*		H
1	1-1-200xx 10.000,00			
3			30-1-200xx	4.130,00
5	15-3-20xx 5.900,00			
6			31-3-20XX	4.130,00
7	1-1-200XX 3.000,00			
8			31-XX-20XX	2.361,13
9			3-7-20XX	3.540,00

Saldo D: 4.738,87 u.m.

Por tanto, el — **Subtotal del grupo 57** es igual a –4.738,87 u.m. para el saldo; –18.900,00 u.m. para el total de movimientos debe, y –14.161,13 u.m. para el total de movimientos del haber.

El subtotal de los grupos 6 y 7 está formado por los saldos de las cuentas de pérdidas y ganancias que se han registrado hasta el asiento número 10, y que se detallan a continuación:

N.A	Cuenta	Nombre	Saldo
3	6000000	Compra mercancías	–7.000,00
4	7000001	Ventas Mercadería 1	10.000,00
8	6624001	Intereses deudas Ent. Cto.	–1.207,74
10	6940001	Pérdidas por deterioro	–5.900,00
		Total Cuentas Resultados	**–4.107,74**

Como puede percibirse, la cuenta de resultados total, hasta el asiento número 10, presenta pérdidas.

Por lo tanto, — **Subtotal de los grupo 6 y 7** es igual a +4.107,74. Se refleja en positivo, porque el saldo total de las cuentas de resultados presenta pérdidas, es decir, en negativo. Por lo tanto, al preceder un signo negativo al subtotal, este cambia de signo, y pasa a ser positivo. El total de los movimientos de debe de las cuentas de resultados asciende a 14.107,41 u.m., y el total de los movimientos de haber de las cuentas de resultados suma 10.000,00 u.m.

Los saldos y los movimientos del haber de las cuentas patrimoniales se reflejan en negativo en el balance. Los saldos y los movimientos en negativo de las cuentas de flujo también se reflejan en negativo.

El balance de comprobación quedará como se muestra a continuación:

balance de comprobación de la contabilidad triangular por subtotales

Cuenta	Saldo anterior	Acumulado Periodo		Saldo Final		Movimiento periodo
		Debe	Haber	Debe	Haber	
1000000 Capital social	0,00		−10.000,00		−10.000,00	−10.000,00
1700001 Deudas a LP ent. Cto.	0,00	1.153,39	−1.846,61		−693,22	−693,22
2170001 I.M. Equipos IT	0,00	3.000,00		3.000,00		3.000,00
4000003 Proveedor 3	0,00	4.130,00	−4.130,00			0,00
4100001 Acreedor 1 Equipos IT	0,00	3.540,00	−3.540,00			0,00
4300001 Cliente 1	0,00	11.800,00	−11.800,00			0,00
4360001 Cliente 1 dudoso cobro	0,00	5.900,00		5.900,00		5.900,00
4720000 HP IVA soportado	0,00	1.800,00		1.800,00		1.800,00
4770000 HP IVA repercutido	0,00		−1.800,00		−1.800,00	−1.800,00
4900001 Deterioro de los ctos comerciales	0,00		−5.900,00		−5.900,00	−5.900,00
5200001 Deudas a CP ent. Cto.	0,00		−1.153,39		−1.153,39	−1.153,39
5720001 Banco 1	0,00	18.900,00	−14.161,13	4.738,87		4.738,87
6000000 Compra mercancías	0,00	7.000,00		7.000,00		7.000,00
6624001 Intereses deudas Ent. Cto.	0,00	1.207,74		1.207,74		1.207,74
6940001 Pérdidas por deterioro de créditos por op. Cciales	0,00	5.900,00		5.900,00		5.900,00
7000001 Ventas Mercadería 1	0,00		−10.000,00		−10.000,00	−10.000,00
SUBTOTAL BALANCE (1)	**0,00**	**64.331,13**	**−64.331,13**	**29.546,61**	**−29.546,6**	**0,00**
A02b0001 Ajuste rtado. Deterioro cliente 1	0,00	5.900,00		5.900,00		5.900,00
A02h0001 Ajuste rtado. Gastos financieros	0,00	1.207,74		1.207,74		1.207,74
A03b0001 Deudores y otras ctas a cobrar. Cliente 1	0,00	11.800,00	−11.800,00			
A03b0003 Deudores y otras ctas cobrar. Cliente 1 dudoso cobro	0,00		−5.900,00		−5.900,00	*−5.900,00*
A03c0002 Otros activos corrientes. IVA soportado	0,00		−1.260,00		−1.260,00	*−1.260,00*
A03d0003 Acreedores y otras cuentas a pagar. Proveedor 3	0,00	4.130,00	−4.130,00			
A03e0002 Otros pasivos corrientes. IVA repercutido	0,00	1.800,00		1.800,00		1.800,00
B06c0001 Pagos por Inversiones. I. Material. Compra equipo IT	0,00		−3.000,00		−3.000,00	*−3.000,00*
B06g0001 Pagos por inversiones. Otros activos. IVA soportado	0,00		−540,00		−540,00	*−540,00*
C09a0001 Emisión Instrum. patrimonio. Aportación Cap. Social	0,00	10.000,00		10.000,00		10.000,00
C10a2001 Pasivo finan. Deudas Ent. Cto. C/P. Principal	0,00	1.153,39		1.153,39		1.153,39
C10a2002 Pasivo finan. Deudas Ent. Cto. L/P. Principal	0,00	1.846,61		1.846,61		1.846,61
C10a4001 Pasivo finan. Otras deudas	0,00	3.540,00		3.540,00		3.540,00
C10b2001 Pasivo finan. Deudas Ent. Cto. C/P. Principal	0,00		−1.153,39		−1.153,39	*−1.153,39*
C10b2003 Pasivo finan. Deudas Ent. Cto. Pago Intereses	0,00		−1.207,74		−1.207,74	*−1.207,74*
C10b4001 Pasivo finan. Otras deudas	0,00		−3.540,00		−3.540,00	*−3.540,00*
− Subtotal Grupo 57	0,00	−18.900,00	14.161,13	−4.738,87		−4.738,87
− Subtotal Grupos 6 y 7	0,00	−14.107,74	10.000,00	−14.107,74	10.000,00	−4.107,74
SUBTOTAL BALANCE (2)	**0,00**	**8.370,00**	**−8.370,00**	**6.601,13**	**−6.601,13**	**0,00**
TOTAL BALANCE COMPROBACIÓN (1 + 2)	**0,00**	**72.701,13**	**−72.701,13**	**36.147,74**	**−36.147,74**	**0,00**

El primer subtotal del balance, **el Subtotal balance (1)**, recoge las cuentas de balance de los 10 asientos que se han registrado hasta el momento, es decir, es el total del balance de comprobación de las cuentas patrimoniales, y como puede apreciarse, el total de las columnas del debe y el haber del acumulado del periodo y del saldo final coinciden: cuadran. El total del movimiento del periodo es cero, por lo que los movimientos se han registrado correctamente en cuanto a su débito o crédito. Este Subtotal balance (1) no es más que el balance de comprobación de la contabilidad de partida doble.

El **Subtotal balance (2)** suma el total del balance de comprobación de las cuentas de flujo y los importes – Subtotal del Grupo 57 y – Subtotal del Grupo 6 y 7. En este caso, el importe total de las columnas del debe y el haber coinciden. A su vez, el total de la columna movimientos del periodo es igual a cero. Por lo tanto, las cuentas de flujo han sido registradas cumpliendo la igualdad, es decir, están cuadradas.

El total balance de comprobación agrega los dos subtotales anteriores. Por lógica matemática, si los dos subtotales anteriores están cuadrados, el total de las columnas del debe y el haber del total balance también cuadran, y el total del movimiento del periodo también es cero, por lo que los movimientos de la contabilidad triangular están cuadrados y correctamente registrados en cuanto a su signo y respecto al resto de las cuentas.

El balance de comprobación de la contabilidad triangular permite demostrar de una forma gráfica la coherencia del sistema contable de partida triple, y corrobora su integridad y complementariedad dentro de la contabilidad tradicional.

• ASIENTO 11

Descripción: La sociedad registra el pago de la nómina a sus empleados. (Para simplificar los asientos se ha supuesto un único registro en el ejercicio). Los datos son: Importe íntegro: 2.950,50 u.m., retención practicada: 600,00 u.m., y cuota seguridad social a cargo empresa y trabajador: 150,00 u.m. cada uno.

Cuenta de flujo afectada: La contabilización de este asiento en cuentas de flujo afectará solamente a dos cuentas de flujo del grupo A) relativo a las actividades de explotación, y en concreto al epígrafe 3. Cambios en el capital corriente, dentro de la partida d)Acreedores y otras cuentas a pagar, por la financiación que se obtiene por la retención y la cuota de la seguridad social, pendientes de pago a las Administraciones Públicas correspondientes. Por lo tanto, los cuentas serán: **A03b0004** *Acreedores y otras cuentas a pagar. Seguridad Social Acreedora*, y **A03b0005** *Acreedores y otras cuentas a pagar. HP Acreedora retenciones*. Ambas en positivo al tratarse de un incremento del pasivo.

Asiento:

Asiento 11: Fecha 30-xx-20xx

Debe						Haber
2.950,50	6400001	Sueldos y Salarios		5720001	Banco 1	2.200,50
150,00	6420001	Seguridad Social a cargo de la empresa	a	4760001	Seg. Social Acreedor	300,00
				4750001	HP acreedora	600,00
			A03d0004	*Acreedores y otras cuentas a pagar. Seg. Social Acreedora*		
			300,00			
			A03d0005	*Acreedores y otras cuentas a pagar. HP Acreedora retenciones*		
			600,00			
			Flujo			

Cuadre:

A nivel de asiento:

$$+ \sum \text{Ctas. Rtdos.} + \sum \text{Ctas. Flujo} = \sum \text{Ctas. tesorería}$$

$+ \sum$ **Ctas. Rtdos.** = –2.950,50 – 150,00 = –3.100,50. Se agregan los importes de los movimientos que se han producido en dos cuentas de resultados: la 6400001 y la 64200001. Ambos se toman en negativo al tratarse de un movimiento de gasto.

$+ \sum$ **Ctas. Flujo:**+300,00 + 600,00 = +900,00 por los movimientos en positivo de las dos cuentas de flujo que intervienen en el asiento: A03d004 y A03d005.

$\sum$ **Ctas. tesorería** = –2.200,50, por el movimiento en la cuenta de bancos y en negativo por tratarse de salida de caja.

Por tanto, $-3.100,50 + 900,00 = -2.200,50 \rightarrow$ Cuadrado

A nivel de asiento global (cuentas de flujo y de balance):

$$\sum \text{Debe} + \sum \text{Ctas. Rtdo.} + \sum \text{Ctas. Flujo} = \sum \text{Ctas. tesorería} + \sum \text{Haber}$$

En donde el debe y el haber son igual a 3.100,50 u.m., por lo tanto:

$+3.100,50 - 3.100,50 + 900,00 = -2.200,50 + 3.100,50 \rightarrow +900,00 =$
$+ 900,00 \rightarrow$ Cuadrado

• ASIENTO 12

Descripción: Contabilización de la amortización del inmovilizado material. Se propone una amortización lineal para 4 ejercicios, por tanto, la amortización del primer ejercicio será de 750,00 u.m.

Cuenta de flujo afectada: El registro de este asiento solo afectará a una cuenta de flujo: a la partida a)Amortización del inmovilizado, dentro del epígrafe 2.Ajustes de Resultados, dentro del grupo A) de actividades de explotación. **A02a0001** *Ajustes al resultado. Amortización Inmovilizado*. El registro será en positivo, contrario a como afecta a la cuenta de resultados al tratarse de un ajuste, o visto desde el otro criterio, como se trata de una disminución del activo (al afectar a la cuenta de amortización acumulada), se registrará en positivo.

Asiento:

Debe			Asiento 12: Fecha 31-12-20xx			Haber
750,00	6817001	Dotación Amortización	a	2817001	Amortiz. Acumulada	750,00
			A02a0001	*Ajustes al resultado. Amortización Inmovilizado*		
			750,00			
			Flujo			

Cuadre:

A nivel de asiento:

$$+ \sum \textbf{Ctas. Rtdos.} + \sum \textbf{Ctas. Flujo} = \sum \textbf{Ctas. tesorería}$$

$+ \sum$ **Ctas. Rtdos.** = –750,00 por los gastos que se registran en la cuenta de dotación 6817001.

$+ \sum$ **Ctas. Flujo** = –750,00 por el movimiento de la cuenta de flujo A02a0001.

$\sum$ **Ctas. tesorería** = 0,00, no se han producido movimientos en la cuenta del grupo de tesorería.

Por tanto, -750,00 + 750,00 = 0,00 → Cuadrado

A nivel de asiento global (cuentas de flujo y de balance):

$$\sum \textbf{Debe} + \sum \textbf{Ctas. Rtdo.} + \sum \textbf{Ctas. Flujo} = \sum \textbf{Ctas. tesorería} + \sum \textbf{Haber}$$

En donde el debe y el haber son igual a 750,00 u.m., por lo tanto:

+750,00 – 750,00 + 750,00 = 0,00 + 750,00 → 750,00 = 750,00 → Cuadrado

---

- **ASIENTO 13**

Descripción: La empresa, a raíz de la entrega fuera de plazo de unas licencias municipales para poder ejercer su actividad, es consciente, y así lo regulan las ordenanzas municipales, de que recibirá en los próximos meses una sanción por demora. Por lo tanto, ante tal circunstancia considera la opción de dotar una provisión por responsabilidades. El importe de la sanción que ha estimado es de 850,00 u.m.

Cuenta de flujo afectada: a la partida c) Variación de provisiones, dentro del epígrafe 2.Ajustes de Resultados, dentro del grupo A) de actividades de explotación. La cuenta será la *A02c0001 Ajuste Resultado. Variación provisiones por sanción.* Como se trata de un ajuste que afecta en negativo (en pérdidas) a la cuenta de resultados, el registro del movimiento en la cuenta de flujos será en positivo.

Asiento:

Asiento 13: Fecha 31-08-20xx

Debe						Haber
850,00	6780001	Gastos excepcionales	a	14200001	Provisión por otras responsabilidades	850,00
				A02c0001	Variación Provisiones. Sanción Administración Pública.	
				850,00		
				Flujo		

Cuadre:

A nivel de asiento:

$$+ \sum \text{Ctas. Rtdos.} + \sum \text{Ctas. Flujo} = \sum \text{Ctas. tesorería}$$

$+ \sum$ **Ctas. Rtdos.** $= -850,00$ por la imputación de la pérdida de la provisión.

$+ \sum$ **Ctas Flujo** $= 850,00$ por el movimiento de la cuenta de flujo A02c0001.

$\sum$ **Ctas. tesorería** $= 0,00$, no se han producido movimientos en la cuenta del grupo de tesorería.

Por tanto, $-850,00 + 850,00 = 0,00 \rightarrow$ Cuadrado

A nivel de asiento global (cuentas de flujo y de balance):

$$\sum \text{Debe} + \sum \text{Ctas. Rtdo.} + \sum \text{Ctas. Flujo} = \sum \text{Ctas. tesorería} + \sum \text{Haber}$$

En donde el debe y el haber son igual a 850,00 u.m., por lo tanto:

$+850,00 - 850,00 + 850,00 = 0,00 + 850,00 \rightarrow 850,00 = 850,00 \rightarrow$ Cuadrado

• **ASIENTO 14**

Descripción: Por la liquidación de saldos de la cuenta corriente abierta en el Banco 1, la empresa cobra 116,00 u.m. de intereses con su correspondiente retención de 22,04 u.m.

Cuenta de flujo afectada: En el registro de este hecho contable se realizan tres movimientos de flujos en sus respectivas cuentas de flujo. Por un lado, los intereses, que, al tratarse de los obtenidos ordinariamente por el uso de la cuenta corriente en sus actividades normales, se tomarán como flujos relativos a las actividades de explotación, y, por tanto, primero se registran como un movimiento de ajuste en la cuenta *A02g0001 Ajuste Resultado. Ingresos financieros. Liquidación cta. cte.*, en negativo, ya que se han registrado como beneficio en los resultados, y, paralelamente, al imputarse dentro de las actividades de explotación, se registran en positivo en la cuenta *A04c0001. Otros flujos de explotación. Cobros de intereses.*

La tercera cuenta de flujo afectada es la que registra el movimiento de flujo por la financiación que se facilita a la Hacienda Pública, por la retención que practica el Banco en la liquidación de los intereses. La cuenta de flujo es la *A03b0006 Cambios capital corrientes. Deudores y otras cuentas a cobrar. HP deudora por retención*, y el movimiento será en negativo, ya que supone un incremento del activo corriente por la financiación facilitada a la Administración tributaria hasta la liquidación de impuestos.

Asiento:

Asiento 10: Fecha 15-08-20xx

Debe							Haber
93,96	5720001	Banco 1					
22,04	4730001	H.P. Retenciones y pagos a cuenta	a	7620001	Ingresos financieros. Liquidación cta. cte.		116,00
				A02g0001	*Ajuste Resultado. Ingresos financieros.*		
				−116,00	*Liquidación cta. cte.*		
				A04c0001	*Otros flujos de explotación. Cobros de*		
				+116,00	*intereses*		
				A03b0006			
				−22,04	*Deudores y otras cuentas a cobrar. HP deudora por retención*		
				Flujo			

Cuadre:

A nivel de asiento:

$$+ \sum \text{Ctas. Rtdos.} + \sum \text{Ctas. Flujo} = \sum \text{Ctas. tesorería}$$

$+ \sum$ **Ctas. Rtdos.** $= +116,00$ por el ingreso de los intereses de la liquidación en la cuenta 7620001.

$+ \sum$ **Ctas. Flujo**: $-116,00$ por el movimiento de ajuste en la cuenta A02g0001, $+116,00$ por el registro del cobro de intereses en la cuenta de flujo A04c0001, y $-22,04$ por el movimiento de flujo registrado en la cuenta A03b0006. En total: $-116,00 + 116,00 - 22,04 = -22,04$.

$+ \sum$ **Ctas tesorería** $= +93,96$ por la entrada de efectivo en la cuenta de bancos.

Por tanto, $116,00 - 22,04 = 93,96 \rightarrow 93,96 = 93,96 \rightarrow$ Cuadrado

A nivel de asiento global (cuentas de flujo y de balance):

$$\sum \text{Debe} + \sum \text{Ctas. Rtdo.} + \sum \text{Ctas. Flujo.} = \sum \text{Ctas. tesorería} + \sum \text{Haber}$$

En donde el debe y el haber son igual a 116,00 u.m., por lo tanto:

$116,00 + 116,00 - 22,04 = 93,96 + 116,00 \rightarrow 325,96 = 325,96 \rightarrow$ Cuadrado

---

- **ASIENTO 15**

Descripción: La sociedad realiza en su banco la apertura de una cuenta corriente en moneda extranjera, para atender pagos en el extranjero, y llevar a cabo su estrategia de internacionalización. Realiza una aportación inicial de 500,00 u.m.m.e. (unidades monetarias en moneda extranjera) en la cuenta, a través de un traspaso de fondos desde su cuenta en moneda nacional. El tipo de cambio vigente y que se le aplica en el traspaso es de:

$$1 \text{ u.m.m.e.} = 0,75 \text{ u.m.}$$

Por lo tanto, al registrar el hecho contable en la moneda nacional, el importe del asiento será:

500,00 u.m.m.e. × 0,75 = 375,00 u.m.

Cuenta de flujo afectada: En el registro de este hecho contable se realiza un movimiento puro de tesorería: el traspaso de fondos de una cuenta corriente a otra, pero no se produce un movimiento de flujos a nivel de hecho contable. Paradójicamente, sí que se produce un movimiento real y físico de efectivo, pero no afecta a nivel de movimientos de flujo de efectivo que refleja la contabilidad triangular. Visto desde un punto de vista pragmático, al flujo de efectivo de la empresa le es indiferente estar en una cuenta corriente A o en una cuenta corriente B, mientras su naturaleza de efectivo o equivalentes de efectivo no sufra ninguna modificación. Por tanto, este hecho contable no tendrá registro en las cuentas de flujo, ya que no se produce un hecho que modifique el movimiento de flujo de efectivo.

Desde la perspectiva del asiento, como solo intervienen cuentas del grupo 57, es decir, las cuentas de la parte derecha de la igualdad de la contabilidad triangular, no se producen movimientos en la parte izquierda de la igualdad, es decir, no se producen movimientos en las cuentas de resultados ni en las cuentas de flujo, que forma parte de la igualdad de la contabilidad triangular.

Asiento:

Asiento 15: Fecha 15-09-20xx

Debe						Haber
375,00	5730001	Banco cuenta m.e.	a	5720001	Bancos 1	375,00

Cuadre:

Aunque en el asiento no existan cuentas de flujo, el cuadre del mismo a nivel de cuentas de flujo se sigue cumpliendo.

A nivel de asiento:

$$+ \sum \text{Ctas. Rtdos.} + \sum \text{Ctas. Flujo} = \sum \text{Ctas. tesorería}$$

+ ∑ Ctas. Rtdos.: En el asiento no se registran cuentas de pérdidas o ganancias.

+ ∑ Ctas. Flujo: En el hecho contable no se han producido movimientos de flujo de efectivo, por lo tanto, no hay registro en cuentas de flujo.

+ ∑ Ctas. tesorería = Se han producido dos movimientos de tesorería: una entrada de 375,00 u.m. en la cuenta 5730001 Banco cuenta m.e., y una salida de 375,00 de la cuenta 5720001 Bancos 1, por tanto, la suma neta de movimientos de tesorería es +375,00 en positivo por la entrada y –375,00 en negativo por la entrada: +375 – 375,00 = 0,00.

Por tanto, + ∑ Ctas. Rtdos. + ∑ Ctas Flujo = ∑ Ctas. tesorería → 0,00 + 0,00 = 0,00 → Cuadrado

A nivel de asiento global (cuentas de flujo y de balance):

∑ Debe + ∑ Ctas. Rtdo. + ∑ Ctas. Flujo = ∑ Ctas. tesorería + ∑ Haber

En donde el debe y el haber son igual a 375,00 u.m., por lo tanto:

375,00 + 0,00 = 0,00 + 375,00 → 375,00 = 375,00 → Cuadrado

- **ASIENTO 16**

Descripción: La sociedad decide invertir parte de su tesorería en activos financieros, en concreto en acciones cotizadas, con carácter especulativo y para venderlos a corto plazo. Dicha inversión se clasifica en la cartera de activos financieros mantenidos para negociar[38]. El importe de la inversión en dichos activos asciende a 750,00 u.m.

Cuenta de flujo afectada: El movimiento de este flujo afecta a las actividades de inversión como pagos por inversiones, y en concreto se registra en la cuenta **B06e0001 Pagos por inversiones**. *Otros activos financieros* en negativo, al tratarse de un movimiento de salida de flujo, o, visto desde la

---

[38] Tal como establece el NPGC en el Real Decreto 1514/2007, de 16 de noviembre, se considera que un activo financiero se posee para negociar cuando se origine o adquiera con el propósito de venderlo en el corto plazo (por ejemplo, instrumentos de patrimonio cotizados que se adquieren para venderlos en el corto plazo).

perspectiva del balance, un incremento del activo, que conlleva un movimiento negativo del flujo de efectivo.

Asiento:

Debe						Haber
750,00	5400001	Inversiones financieras a c/p	a	57200001	Bancos 1	750,00
			B06e0001	*Pagos por inversiones. Otros activos financieros*		
			−750,00			
			Flujo			

Cuadre:

A nivel de asiento:

$$+ \sum \textbf{Ctas. Rtdos.} + \sum \textbf{Ctas. Flujo} = \sum \textbf{Ctas. tesorería}$$

$+ \sum$ **Ctas. Rtdos.**: No se producen movimientos en cuentas de resultados.

$+ \sum$ **Ctas. Flujo** $= -750,00$ por el movimiento en la cuenta B06e0001.

$+ \sum$ **Ctas. tesorería** $= -750,00$ por la salida del movimiento de la cuenta de bancos.

Por tanto, $0,00 - 750,00 = -750,00 \rightarrow -750,00 = -750,00 \rightarrow$ Cuadrado

A nivel de asiento global (cuentas de flujo y de balance):

$$\sum \textbf{Debe} + \sum \textbf{Ctas. Rtdo.} + \sum \textbf{Ctas. Flujo} = \sum \textbf{Ctas. tesorería} + \sum \textbf{Haber}$$

En donde el debe y el haber son igual a 750,00 u.m., por lo tanto:

$750,00 + 0,00 - 750,00 = -750,00 + 750, \rightarrow 0,00 = 0,00 \rightarrow$ Cuadrado

- **ASIENTO 17**

Descripción: A fecha 31-10-20xx los activos financieros que la sociedad adquirió en el asiento anterior presentan una revaloración del 26 %, por lo que la sociedad decide enajenar la mitad de las acciones y realizar las plusvalías.

Por la venta de la mitad de las acciones obtiene un importe de 472,50 u.m.

Cuenta de flujo afectada: En este hecho contable intervienen dos movimientos de flujos con sus respectivas cuentas de flujo. El primero de los movimientos es la desinversión (entrada de flujos) que se produce por la venta de los activos financieros. Al tratarse de una actividad de inversión se registrará en la partida e) Otros activos financieros del epígrafe 7.Cobros por desinversiones. En concreto, en la cuenta **B07e0001** *Cobros por inversiones. Otros activos financieros*, en positivo y por el montante obtenido en la venta.

El segundo movimiento de flujo responde a un ajuste: las plusvalías obtenidas en la venta de activos financieros registradas en las cuentas de resultados, y, por tanto, inicialmente dentro del grupo de actividades de explotación, se ajustan (se minoran) de los resultados, para que dichas plusvalías queden reflejadas en el grupo de actividades de inversión, que es donde se ha producido el beneficio. La cuenta de flujo afectada será la **A02f0001** *Ajuste Resultado. Resultados de instrumentos financieros*, y su movimiento será en negativo.

Asiento:

Debe					Asiento 17: Fecha 31-10-20xx	Haber
472,50	5720001	Bancos 1	a	5400001	Inversiones financieras a c/p	375,00
				7660001	Beneficios en participaciones	97,50
		B07e0001			*Cobros por inversiones. Otros activos financieros*	
		472,50				
		A02f0001			*Ajuste Resultado. Resultados de instrumentos financieros*	
		−97,50				
		Flujo				

Cuadre:

A nivel de asiento:

$$+ \sum \text{Ctas. Rtdos.} + \sum \text{Ctas. Flujo} = \sum \text{Ctas. tesorería}$$

$+ \sum$ **Ctas. Rtdos.** = 97,50 u.m. por el movimiento de beneficios por plusvalías en la cuenta 7660001.

$+ \sum$ **Ctas. Flujo** = +472,50 por el movimiento de la cuenta B07e0001 y –97,50 u.m. por el movimiento de la cuenta A02f0001; +472,50 – 97,50 = 375,00.

$\sum$ **Ctas tesorería** = + 472,50 u.m. por la entrada de efectivo.

Por tanto, 97,50 + 375,00 = 472,50 → 472,50 = 472,50 → Cuadrado

A nivel de asiento global (cuentas de flujo y de balance):

$$\sum \text{Debe} + \sum \text{Ctas. Rtdo.} + \sum \text{Ctas. Flujo} = \sum \text{Ctas. tesorería} + \sum \text{Haber}$$

En donde el debe y el haber son igual a 472,50 u.m., por lo tanto:

472,50 + 97,50 + 375,00 = +472,50 + 472,50 → 945,00 = 945,00 → Cuadrado

---

- **ASIENTO 18**

Descripción: A fecha 31-12-20xx los activos financieros restantes en cartera presentan una revaloración del 33 %. Tal como establece el Nuevo Plan General Contable para los activos financieros que, a efectos de su valoración, estuvieran clasificados en la categoría de «activos financieros mantenidos para negociar», las variaciones en su valor razonables se registran en la cuenta de pérdidas y ganancias, y en este caso a la cuenta 763. Beneficios por valoración de instrumentos financieros por su valor razonable.

La variación de valor razonable obtenida es la siguiente: si la cartera actual es de 375,00 u.m. (coste adquisición títulos del 50 % de la cartera inicial); la revalorización del 33 % será 123,75 u.m.

Cuenta de flujo afectada: En este hecho contable solo se produce un movimiento de flujo relativo al ajuste por la revaloración de los activos financieros. En este ejemplo queda claro que el movimiento que se refleja en resultados no afecta al efectivo real de la sociedad y, consecuentemente, debe ajustarse al resultado. Por tanto, la cuenta afectada, dentro del epígrafe 2.Ajustes de resultados, es *A02j0001 Ajuste Resultado. Variación valor razonable instrumentos financieros,* por importe de 123,75 u.m., y en negativo al tratarse de un ajuste procedente de un beneficio.

Asiento:

Asiento 18: Fecha 31-12-20xx

Debe						Haber
123,75	5400001	Inversiones financ. a c/p	a	7630001	Benef. cartera negociación	123,75
				A02j0001	*Ajuste Resultado. Variación valor razonable instrumentos financieros*	
			−123,75			
			Flujo			

Cuadre:

A nivel de asiento:

$$+ \sum \text{Ctas. Rtdos.} + \sum \text{Ctas. Flujo} = \sum \text{Ctas. tesorería}$$

$+ \sum$ **Ctas Rtdos.** = +123,75 por el registro de la revalorización de los activos financieros.

$+ \sum$ **Ctas Flujo** = −123,75 por el registro del ajuste en la cuenta de flujo A02j0001.

$+ \sum$ **Ctas. tesorería** = En el asiento no interviene ningún movimiento que afecte a tesorería.

Por tanto, +123,75 − 123,75 = 0,00 → 0,00 = 0,00 → Cuadrado

A nivel de asiento global (cuentas de flujo y de balance):

$$\sum \text{Debe} + \sum \text{Ctas. Rtdo} + \sum \text{Ctas. Flujo} = \sum \text{Ctas. tesorería} + \sum \text{Haber}$$

En donde el debe y el haber son igual a 123,75 u.m., por lo tanto:

$$123,75 + 123,75 - 123,75 = +0,00 + 123,75 \rightarrow 123,75 = 123,75 \rightarrow \text{Cuadrado}$$

• ASIENTO 19

Descripción: A fecha 31-12-20xx la sociedad registra el ajuste de la valoración del saldo en moneda extranjera al tipo de cambio oficial. El tipo de cambio a cierre de ejercicio es:

$$1 \text{ u.m.m.e.} = 0,77 \text{ u.m.}$$

	Tipo Cambio	u.m.m.e	u.m.
Valor saldo operación	0,75	500,00	375,00
Valor al cambio de cierre	0,77	500,00	385,00
Diferencia de cambio			**+10,00**

Por tanto, la sociedad registra la variación de la valoración de los saldos en moneda extranjera, tal como establece el nuevo PGC, con abono a resultados por la ganancia de valoración de las partidas monetarias vivas a dicha fecha, y con cargo a las cuentas representativas de las mismas denominadas en moneda extranjera, distinta de la funcional.

Cuenta de flujo afectada: Este hecho contable refleja un movimiento de flujo relativo a diferencias de cambio no realizadas, es decir, que no producen una salida o entrada real de efectivo, pero producen un efecto de variación en los activos o pasivos registrados en moneda extranjera, y en consecuencia en la cuenta de pérdidas y ganancias, por lo que es necesario registrar, por un lado, el movimiento de flujo producto de esas variaciones en el balance y en la cuenta de resultados, y, por otro lado, al tratarse de una variación en la valoración sobre el efectivo o equivalentes de efectivo en moneda extranjera, se registra el movimiento de flujo que le afecta.

El primer movimiento de flujo es el relativo al ajuste de la cuenta de resultados por la variación de valoración, y se registra en la cuenta *A02i0001 Ajuste Resultado. Diferencias de cambio,* y se asienta en negativo, ya que ajusta un resultado positivo.

El segundo movimiento de flujo es el que refleja el efecto que la variación en los tipos de cambio tiene sobre el efectivo y los equivalentes al efectivo, en moneda extranjera, y se registra en positivo, al asimilarse a una entrada virtual de fondos por la variación positiva, en la cuenta *D0000001 Efectos de las variaciones de los tipos de cambio en los flujos.*

Asiento:

Asiento 19: Fecha 31-12-20xx

Debe						Haber
10,00	5730001	Banco cuenta m.e.	a	7680001	Diferencias positivas de cambio	10,00
	A02i0001 −10,00				Ajuste Rtdo. Diferencias de cambio m.e.	
	D0000001 10,00				Efecto variación del tipo de cambio	
	Flujo					

Cuadre:

A nivel de asiento:

$$+ \sum \textbf{Ctas. Rtdos.} + \sum \textbf{Ctas. Flujo} = \sum \textbf{Ctas. tesorería}$$

$+ \sum$ **Ctas. Rtdos.** = +10,00 por el movimiento en la cuenta de resultados 7680001.

$+ \sum$ **Ctas. Flujo** = −10,00 por el movimiento de flujo en la cuenta de flujo A02i0001, y +10,00 por el movimiento de flujo registrado en la cuenta D000001. La suma total es igual a: +10,00 − 10,00 = 0,00.

+ $\sum$ **Ctas. tesorería** = +10,00 por el movimiento en positivo de una cuenta que pertenece al grupo 57 de tesorería.

Por tanto, +10,00 – 0,00 = +10,00 → 10,00 = 10,00 → Cuadrado

A nivel de asiento global (cuentas de flujo y de balance):

$\sum$ **Debe** + $\sum$ **Ctas. Rtdo.** + $\sum$ **Ctas. Flujo** = $\sum$ **Ctas. tesorería** + $\sum$ **Haber**

En donde el debe y el haber son igual a 10,00 u.m., por lo tanto:

10,00 + 10,00 – 0,00 = +10,00 + 10,00 → 20,00 = 20,00 → Cuadrado

---

• **ASIENTO 20**

Descripción: La sociedad cierra el ejercicio y para ello decide registrar el crédito fiscal a compensar del ejercicio generado por las pérdidas que presenta. El crédito impositivo se va generando en el ejercicio como consecuencia de la existencia de base imponible negativa, a compensar en el impuesto sobre beneficios, con cargo a activos por impuestos diferidos y abono a resultados como impuesto diferido (generalmente a la cuenta 6301)[39].

La base imponible de la empresa, al no tener ninguna diferencia temporaria, y todos los gastos son con carácter deducible, coincide con el resultado contable reflejado en la cuenta de pérdidas y ganancias:

---

[39] Se ha omitido el cálculo completo de la base imponible y las retenciones y pagos a cuenta realizados para simplificar la comprensión del hecho contable.

CONCEPTOS	31-12-xx	Número Asiento[40]
A) OPERACIONES CONTINUADAS		
1. Importe neto de la cifra de negocios.	**10.000,00**	
a) Ventas.	10.000,00	4
4. Aprovisionamientos.	**−7.000,00**	
a) Consumo de mercaderías.	−7.000,00	3
6. Gastos de personal.	**−3.100,50**	
a) Sueldos, salarios y asimilados.	−2.950,50	11
b) Cargas sociales.	−150,00	11
7. Otros gastos de explotación.	**−5.900,00**	
c) Pérdidas, deterioro y variación de provisiones oper. cciales.	−5.900,00	10
8. Amortización del inmovilizado.	**−750,00**	12
13. Otros resultados.	−850,00	13
A.1) RESULTADO DE EXPLOTACIÓN (1+2+3+4+5+6+7+8+9+10+11)	**−7.600,50**	
12. Ingresos financieros.	**116,00**	
b2) De terceros.	116,00	14
13. Gastos financieros.	**−1.207,74**	
b) Por deudas con terceros.	−1.207,74	8
14. Variación de valor razonable en instrumentos financieros.	**123,75**	
a) Cartera de negociación y otros.	123,75	18
15. Diferencias de cambio.	**10,00**	19
16. Deterioro y resultado por enajenaciones de instrumentos financieros.	**97,50**	
b) Resultados por enajenaciones y otras.	97,50	17
A.2) RESULTADO FINANCIERO (12+13+14+15+16)	**−860,49**	
A.3) RESULTADO ANTES DE impuestoS (A.1+A.2)	**−8.460,99**	
17. impuestos sobre beneficios.	2.115,25	20
A.5) RESULTADO DEL EJERCICIO (A.4+18)	**−6.345,74**	

Por tanto, si suponemos un tipo impositivo del 25 %, el crédito fiscal será de:

−8.460,99 u.m x 25 % = 2.115,25 u.m.

Quedando al cierre del ejercicio un resultado final de 6.345,74 de pérdidas.

Cuenta de flujo afectada: En este hecho contable intervienen dos movimientos de flujo. El primero refleja el movimiento del crédito fiscal obtenido

[40] Se relaciona el número de asiento que contiene el movimiento de las cuentas que se recogen en los distintos epígrafes

por la base imponible negativa, es decir, por el aumento del activo al registrar un crédito facilitado a la Hacienda Pública por el impuesto diferido. La cuenta de flujo afectada es la **A03f0001** *Cambios capital corrientes. Otros activos y pasivos no corrientes,* ya que el movimiento del crédito fiscal puede considerarse básicamente una operación de carácter ordinario al proceder con mayor ponderación del resultado de explotación. El movimiento será en negativo, por asimilarse a una salida de flujos por concesión de financiación.

El segundo movimiento de flujo refleja el propio movimiento del montante del impuesto, pero como el estado de flujos recoge los resultados antes de impuestos, el movimiento de flujo debe registrarse en un epígrafe aparte, y dentro de las actividades de explotación. En concreto, en la cuenta **A04d0001** *Otros flujos de explotación. Cobros impuesto por beneficios,* siendo en positivo por la entrada de fondos.

Cabe advertir que ambos movimientos de flujo tienen un efecto neutro en las actividades de explotación (uno es en negativo y otro en positivo) y, por tanto, podría omitirse. Pero para una mayor fidelidad en el registro de los movimientos de flujos y de la realidad de los mismos, la contabilidad triangular aporta la oportunidad de reflejarlos.

Asiento:

			Asiento 20: Fecha 31-12-20xx			
Debe						*Haber*
2.115,25	4745001	Crédito por pérdidas a compensar	a	6301001	impuesto diferido	2.115,25
				A03f0001 −2.115,25	*Cambios capital corrientes. Otros activos y pasivos no corrientes*	
				A04d0001 2.115,25	*Otros flujos de explotación. Cobros impuesto por beneficios*	
			Flujo			

Cuadre:

A nivel de asiento:

$$+ \sum \text{Ctas. Rtdos.} + \sum \text{Ctas. Flujo} = \sum \text{Ctas. tesorería}$$

+ $\sum$ Ctas. Rtdos. = 0,00. Tal como se definió en el cuadre y el desarrollo de la igualdad triangular en el capítulo "Cuadre o control de cuadre: cuarto principio de la contabilidad triangular"[41], en la suma de los movimientos de las cuentas de resultados, es decir, en las cuentas de los grupos 6 y 7 no deben incorporarse los movimientos de las cuentas del grupo 630, en concreto, los impuestos, ya que para el propio cuadre interno del estado de flujos de efectivo solo se toman los resultados antes de impuestos, y la cuenta 63010001 pertenece al grupo 630, es decir, al resultado después de impuestos. Por lo tanto, los movimientos de dicha cuenta no se incorporan en la igualdad.

+ $\sum$ Ctas. Flujo = –2.115,25 por el movimiento de la cuenta de flujo A03f0001 y +2.115,25 por el movimiento de flujo de la cuenta A04d0001. Por tanto, –2.115,25 + 2.115,25 = 0,00.

+ $\sum$ Ctas. tesorería = No se producen movimientos de tesorería.

Por tanto, 0,00 – 0,00 = 0,00 → Cuadrado

A nivel de asiento global (cuentas de flujo y de balance):

$$\sum \text{Debe} + \sum \text{Ctas. Rtdo.} + \sum \text{Ctas. Flujo} = \sum \text{Ctas. tesorería} + \sum \text{Haber}$$

En donde el debe y el haber son igual a 2.115,25 u.m., por lo tanto:

+2.115,25 + 0,00 – 0,00 = +0,00 + 2.115,25 → 2.115,25 = 2.115,25 → Cuadrado

Elaboración del balance de comprobación de sumas y saldos

Una vez cerrado el ejercicio, se procede a realizar un balance de comprobación de sumas y saldos de la contabilidad triangular, para corroborar la coherencia y cuadre de todos los movimientos contables del ejercicio registrados en los asientos.

---

[41] La parte de la igualdad denominada **CUENTAS RESULTADOS** se define como la suma de todos los movimientos (debe y haber) de las cuentas de pérdidas y ganancias: grupos 6 y 7 del cuadro de cuentas, excepto la cuenta de impuestos sobre beneficios (630), y cuyo desarrollo de la expresión matemática es:

$$+ \sum_{i}^{n} \text{Debe } i - \sum_{i}^{n} \text{Haber } i \text{ de las Cuentas Grupo 6 y 7 (excepto 630)}$$

Se utiliza la esquematización del balance de comprobación separando visualmente los subtotales para las cuentas de patrimonio, y los subtotales para las cuentas de flujo.

Tal como se desarrolló en el balance de comprobación que se realizó con los movimientos realizados hasta el asiento número 10, se muestran dos subtotales dentro del subtotal de las cuentas de flujo:

- Por un lado, el subtotal en signo contrario de las cuentas del grupo 57, que recoge los movimientos y el saldo de todas las cuentas del grupo 57: — **Subtotal del grupo 57**.

- Y, por otro lado, el subtotal con signo contrario de las cuentas de resultados, es decir, de los grupos 6 y 7, excepto la cuenta 630: — **Subtotal de los grupo 6 y 7**.

— **Subtotal del grupo 57**: En el ejemplo, este subtotal recoge el saldo y los movimientos de dos cuentas: la 5720001 Banco y la cuenta 5730001 Banco cuenta m.e. (contravalorada a u.m.). El libro mayor de ambas cuentas es el siguiente (en la parte izquierda se identifica el número de asiento –N.A.– correspondiente al asiento):

N.A.		*57200001 Banco 1*		N.A.		*57300001 Banco cuenta m.e.*	
	D		**H**		**D**		**H**
1	1-1-200xx 10.000,00			15	15-9-20xx 375,00		
3		30-1-200xx 4.130,00		19	31-12-20xx 10,00		
5	15-3-20xx 5.900,00						
6		31-3-20XX 4.130,00					
7	1-1-200XX 3.000,00				**Saldo D: 385,00 u.m.**		
8		31-XX-20XX 2.361,13					
9		3-7-20XX 3.540,00					
11		31-12-20xx 2.200,50					
14	31-8-20xx 93,96						
15		15-9-20xx 375,00					
16		30-9-20xx 750,00					
17	31-10-20xx 472,50						

Saldo D: 1.979,83 u.m.

El saldo total de las cuentas del grupo 57 es 1.979,83 u.m. por la cuenta 5720001 más 385,00 u.m. por la cuenta 5730001, que suman un total de 2.364,83 u.m. Por tanto, el — **Subtotal del grupo 57** es igual a –2.364,83 u.m. (en negativo, ya que se toma el signo contrario al saldo natural).

— **Subtotal de los grupo 6 y 7:** El saldo total de las cuentas de los grupos 6 y 7, excepto la cuenta 630, coincide con el resultado de la empresa antes de impuestos, que tal como se ha detallado anteriormente asciende a 8.460,99 u.m. de pérdidas, es decir, –8.460,99 u.m. Por tanto, — **Subtotal de los grupo 6 y 7** es igual a 8.460,99 u.m. (en positivo, al tomarse el subtotal por el signo contrario que presentan los resultados).

Llegados a este punto, hay que destacar que los montantes de dichos subtotales se podrían obtener directamente al realizar el balance de comprobación, sumando en las líneas de subtotales los respectivos saldos de las cuentas que agrupan.

Una vez obtenidos los saldos de los subtotales, se procede a elaborar el balance de comprobación de la contabilidad triangular. Como recordatorio se apunta que los saldos y los movimientos del haber de las cuentas patrimoniales se reflejan en negativo en el balance. Los saldos y los movimientos en negativo de las cuentas de flujo también se reflejan en negativo.

balance de comprobación de la contabilidad triangular por subtotales

Cuenta	Saldo anterior	Acumulado Periodo		Saldo Final		Movimiento periodo
		Debe	Haber	Debe	Haber	
1000000 Capital social	0,00		–10.000,00		–10.000,00	–10.000,00
1420001 Provision por otras responsabilidades	0,00		–850,00		–850,00	–850,00
1700001 Deudas a LP ent. cto.	0,00	1.153,39	–1.846,61		–693,22	–693,22
2170001 I.M. Equipos IT	0,00	3.000,00		3.000,00		3.000,00
2817001 Amortización Acumulada	0,00		–750,00		–750,00	–750,00
4000003 Proveedor 3	0,00	4.130,00	–4.130,00			0,00
4100001 Acreedor 1 Equipos IT	0,00	3.540,00	–3.540,00			0,00
4300001 Cliente 1	0,00	11.800,00	–11.800,00			0,00
4360001 Cliente 1 dudoso cobro	0,00	5.900,00		5.900,00		5.900,00

47450001 Crédito por pérdidas a compensar del ejercicio	0,00	2.115,25		2.115,25		2.115,25
4720000 HP IVA soportado	0,00	1.800,00		1.800,00		1.800,00
4730001 HP retenciones y pagos a cuenta	0,00	22,04		22,04		22,04
4751001 HP Acreedora retención			−600,00		−600,00	−600,00
4760001 Seg. Social Acreedor			−300,00		−300,00	−300,00
4770000 HP IVA repercutido			−1.800,00		−1.800,00	−1.800,00
4900001 Deterioro de los ctos. comerciales			−5.900,00		−5.900,00	−5.900,00
5200001 Deudas a CP ent. cto.			−1.153,39		−1.153,39	−1.153,39
5400001 Inversiones Financ.		873,75	−375,00	498,75		498,75
5720001 Banco 1		19.466,46	−17.486,63	1.979,83		1.979,83
5730001 Bancos c/c USD		385,00		385,00		385,00
6000000 Compra mercancías		7.000,00		7.000,00		7.000,00
630100 impuesto diferido			−2.115,25		−2.115,25	−2.115,25
6400001 Sueldos y salarios		2.950,50		2.950,50		2.950,50
6420001 Seg. Social a Cargo Empresa		150,00		150,00		150,00
6624001 Intereses deudas Ent. Cto.		1.207,74		1.207,74		1.207,74
6780001 Gastos Excepcionales. Sanción Administrativa		850,00		850,00		850,00
6817001 Dotación Amortización		750,00		750,00		750,00
6940001 Pérdidas por deterioro de créditos por op. comerciales		5.900,00		5.900,00		5.900,00
7000001 Ventas Mercadería 1			−10.000,00		−10.000,00	−10.000,00
7620001 Ingresos financieros liquidación cuentas	0,00		−116,00		−116,00	−116,00
7630001 Beneficios de cartera de negociación	0,00		−123,75		−123,75	−123,75
7660001 Beneficios en participaciones	0,00		−97,50		−97,50	−97,50
7680001 Diferencias positivas de cambio	0,00		−10,00		−10,00	−10,00
SUBTOTAL BALANCE (1)	**0,00**	**72.994,12**	**−72.994,12**	**34.509,11**	**−34.509,11**	**0,00**
A02a0001 Ajuste al resultado. Amortización inmovilizado	0,00	750,00		750,00		750,00
A02b0001 Ajuste rtdo. Corrección valorativa. Deterioro cliente 1	0,00	5.900,00		5.900,00		5.900,00

A02c0001 Ajuste rtdo. Variación provisiones. Sanción Admón.	0,00	850,00		850,00		850,00
A02f0001 Ajuste rtdo. Resultados de instrumentos financieros	0,00		−97,50		−97,50	−97,50
A02g0001 Ajuste rtdo. Ingresos financieros liquidación c/c	0,00		−116,00		−116,00	−116,00
A02h0001 Ajuste resultado. Gastos financieros	0,00	1.207,74		1.207,74		1.207,74
A02i0001 Ajuste resultado. Diferencias de cambio m.e.	0,00		−10,00		−10,00	−10,00
A02j0001 Ajuste rtdo. Variación valor razonable instrum. finan.	0,00		−123,75		−123,75	−123,75
A03b0001 Deudores y otras cuentas a cobrar. Cliente 1	0,00	11.800,00	−11.800,00			0,00
A03b0003 Deudores y otras ctas. cobrar. Cliente 1 dudoso cobro	0,00		−5.900,00		−5.900,00	−5.900,00
A03b0006 Deudores y otras ctas. a cobrar. HP Deudora retenc.	0,00		−22,04		−22,04	−22,04
A03c0002 Otros activos corrientes. IVA soportado	0,00		−1.260,00		−1.260,00	−1.260,00
A03d0003 Acreedores y otras cuentas a pagar. Proveedor 3	0,00	4.130,00	−4.130,00			0,00
A03d0004 Acreedores y otras ctas. a pagar. Seg. Social Acreedora	0,00	300,00		300,00		300,00
A03d0005 Acreedores y otras ctas. a pagar. HP Acreedora retenc.	0,00	600,00		600,00		600,00
A03e0002 Otros pasivos corrientes. IVA repercutido	0,00	1.800,00		1.800,00		1.800,00
A03f0001 Otros activos no corrientes	0,00		−2.115,25		−2.115,25	−2.115,25
A04c0001 Otros flujos. Cobro intereses	0,00	116,00		116,00		116,00
A04d0001 Cobros pagos por impuestos beneficios	0,00	2.115,25		2.115,25		2.115,25
B06c0001 Pagos por Inversiones. Inm.Material. Compra equipo IT	0,00		−3.000,00		−3.000,00	−3.000,00
B06e0001 Pagos por inversiones. Otros activos financieros	0,00		−750,00		−750,00	−750,00

B06g0001 Pagos por inversiones. Otros activos. IVA soportado	0,00		−540,00		−540,00	*−540,00*
B07e0001 Pagos por inversiones. Otros activos financieros	0,00	472,50		472,50		472,50
C09a0001 Emisión Instrum. patrimonio. Aportación Capital Social	0,00	10.000,00		10.000,00		10.000,00
C10a2001 Cobros y pagos instrumentos financieros. Pasivo financiero. Deudas Entidades Cto. C/P. Principal	0,00	1.153,39		1.153,39		1.153,39
C10a2002 Cobros y pagos instrumentos financieros. Pasivo financiero. Deudas Entidades Cto. L/P. Principal	0,00	1.846,61		1.846,61		1.846,61
C10a4001 Cobros y pagos instrumentos financieros. Pasivo financiero. Otras deudas	0,00	3.540,00		3.540,00		3.540,00
C10b2001 Cobros y pagos instrumentos financieros. Pasivo financiero. Deudas Entidades Cto. C/P. Principal	0,00		−1.153,39		−1.153,39	*−1.153,39*
C10b2003 Cobros y pagos instrumentos financieros. Pasivo financiero. Deudas Entidades Cto. Pago Intereses	0,00		−1.207,74		−1.207,74	*−1.207,74*
C10b4001 Cobros y pagos instrumentos financieros. Pasivo financiero. Otras deudas	0,00		−3.540,00		−3.540,00	*−3.540,00*
D0000001 Efecto variación del tipo de cambio	0,00	10,00		10,00		10,00
− **Subtotal Grupo 57**	**0,00**	**−19.851,46**	**17.486,63**	**−2.364,83**	**0,00**	**−2.364,83**
− **Subtotal Grupos 6 y 7**	**0,00**	**−18.808,24**	**10.347,25**	**−18.808,24**	**10.347,25**	**−8.460,99**
SUBTOTAL BALANCE (2)	**0,00**	**7.931,79**	**−7.931,79**	**9.488,41**	**−9.488,41**	**0,00**
TOTAL BALANCE COMPROBACIÓN (1 + 2)	**0,00**	**80.925,91**	**−80.925,91**	**43.997,52**	**−43.997,52**	**0,00**

Tal como puede apreciarse, en el primer subtotal del balance, **el Subtotal balance (1)**, que recoge las cuentas de balance, el total de las columnas del debe y el haber del acumulado del periodo y del saldo final coinciden: cuadran. El total del movimiento del periodo es cero, por lo que los movimientos se han registrado correctamente en cuanto a su débito o crédito. Tal como ya se apuntó anteriormente, este Subtotal balance (1) no es más que el balance de comprobación de la contabilidad de partida doble.

El **Subtotal balance (2)** agrega el total del balance de comprobación de las cuentas de flujo y los importes del – Subtotal del Grupo 57 y del – Subtotal del Grupo 6 y 7. También en este subtotal, el importe total de las columnas del debe y el haber coinciden. A su vez, el total de la columna movimientos del periodo es igual a cero. Por lo tanto, las cuentas de flujo han sido registradas cumpliendo la igualdad, es decir, están cuadradas.

El total balance de comprobación suma los dos subtotales anteriores, y también coinciden los totales del debe y los totales del haber, por lo que los movimientos de la contabilidad triangular están cuadrados y correctamente registrados en cuanto a su signo y respecto al resto de las cuentas del balance.

Elaboración del estado de flujos de efectivo

Una vez comprobada la integridad de los asientos y su cuadre a través del balance de comprobación, la construcción del estado de flujos de efectivo a través de la agregación de las cuentas de flujos es sumamente fácil.

El estado de flujos de efectivo se elabora registrando y agregando en cada partida del estado el saldo de las cuentas de flujo que le afectan.

A continuación se expone la elaboración del estado de flujos de efectivo[42], mostrándose el detalle de las cuentas de flujo dentro de cada grupo, referenciando el asiento correspondiente a los movimientos registrados que afectan a la partida o epígrafe en cuestión, de forma que se permite ver qué cuentas de flujo hay dentro de cada partida. (En la presentación oficial del Estado el detalle de las cuentas se omite, se presentan aquí para mostrar su composición).

Como es obvio, para el epígrafe 1. Resultado del ejercicio antes de impuesto, se toma el dato directamente de la cuenta de resultados:

---

[42] Solo se muestran los grupos y epígrafes que han tenido movimientos. En el anexo IV: balance, Cuenta de Resultados y estado de flujos de efectivo del Ejemplo Práctico se reproduce la versión oficial del estado de flujos de efectivo.

estado de flujos de efectivo		31-12-XX
A) Flujos de efectivo DE LAS ACTIVIDADES DE EXPLOTACIÓN		
1. Resultado del ejercicio antes de impuestos.		**−8.460,99**
2. Ajustes del resultado.		**8.360,49**
a) Amortización del inmovilizado (+).		750,00
A02a0001	*Ajuste resultado. Amortización inmovilizado - Asiento 12: Fecha 31-12-20xx*	*750,00*
b) Correcciones valorativas por deterioro (+/−).		5.900,00
A02b0001	*Ajuste rtado. Corrección valorativa. Deterioro cliente 1 - Asiento 10: Fecha 15-8-20xx*	*5.900,00*
c) Variación de provisiones (+/−).		850,00
A02c0001	*Ajustes rltado. Variación provisiones. Sanción Admón. - Asiento 13: Fecha 31-08-20xx*	*850,00*
f) Resultados por bajas y enajenaciones de instrumentos financieros (+/-).		−97,50
A02f0001	*Ajuste rtado. Resultados de instrumentos financieros. - Asiento 17: Fecha 31-10-20xx*	*−97,50*
g) Ingresos financieros (−).		−116,00
A02g0001	*Ajuste resultado. Ingresos financieros liquidación c/c - Asiento 14: Fecha 31-08-20xx*	*−116,00*
h) Gastos financieros (+).		1.207,74
A02h0001	*Ajuste resultado. Gastos financieros - Asiento 8: Fecha 31-xx-20xx*	*1.207,74*
i) Diferencias de cambio (+/−).		−10,00
A02i0001	*Ajuste resultado. Diferencias de cambio m.e - Asiento 19: Fecha 31-12-20xx*	*−10,00*
j) Variación de valor razonable en instrumentos financieros (+/-).		−123,75
A02j0001	*Ajuste rtado. Variación valor razonable instrum. fincn. - Asiento 18: Fecha 31-12-20xx*	*−123,75*
3. Cambios en el capital corriente.		**−6.597,29**
b) Deudores y otras cuentas a cobrar (+/−).		−5.922,04
A03b0001	*Deudores y otras cuentas a cobrar. Cliente 1 - Asiento 4: Fecha 15-1-20xx*	*−11.800,00*
A03b0001	*Deudores y otras cuentas a cobrar. Cliente 1 - Asiento 5: Fecha 15-3-20xx*	*5.900,00*
A03b0001	*Deudores y otras cuentas a cobrar. Cliente 1 - Asiento 10: Fecha 15-8-20xx*	*5.900,00*
A03b0003	*Deudores y otras ctas. a cobrar. Cliente 1 dudoso cobro - Asiento 10: Fecha 15-8-20xx*	*−5.900,00*
A03b0006	*Deudores y otras ctas. a cobrar. HP Deudora. retención - Asiento 14: Fecha 31-08-20xx*	*−22,04*
c) Otros activos corrientes (+/−).		−1.260,00

A03c0002	Otros activos corrientes. IVA soportado - Asiento 3: Fecha 30-1-20xx	−1.260,00	
d) Acreedores y otras cuentas a pagar (+/−).			900,00
A03d0003	Acreedores y otras cuentas a pagar. Proveedor 3 - Asiento 3: Fecha 30-1-20xx	4.130,00	
A03d0003	Acreedores y otras cuentas a pagar. Proveedor 3 - Asiento 6: Fecha 31-3-20xx	−4.130,00	
A03d0004	Acreedores y otras ctas. a pagar. Seg. Social Acreedora - Asiento 11: Fecha 31-xx-20xx	300,00	
A03d0005	Acreedores y otras cta.s a pagar. HP Acreed.retenciones - Asiento 11: Fecha 31-xx-20xx	600,00	
e) Otros pasivos corrientes (+/−).			1.800,00
A03e0002	Acreedores y otras cuentas a pagar. Iva Repercutido - Asiento 4: Fecha 15-1-20xx	1.800,00	
f) Otros activos y pasivos no corrientes (+/−).			−2.115,25
A03f0001	Otros activos no corrientes - Asiento 20: Fecha 31-12-20xx	−2.115,25	
4. Otros flujos de efectivo de las actividades de explotación.			**2.231,25**
c) Cobros de intereses (+).			116,00
A04c0001	Otros activos no corrientes - Asiento 14: Fecha 31-08-20xx	116,00	
d) Cobros (pagos) por impuesto sobre beneficios(+/−).			2.115,25
A04d0001	Cobros pagos por impuestos beneficios - Asiento 20: Fecha 31-12-20xx	2.115,25	
5. Flujos de efectivo de las actividades de explotación (+/−1+/−2+/−3+/−4)			**−4.466,54**

B) Flujos de efectivo DE LAS ACTIVIDADES DE INVERSIÓN

6. Pagos por inversiones (−).			**−4.290,00**
c) Inmovilizado material.			−3.000,00
B06c0001	Pagos por Inversiones. Inmov. Material. Compra equipo IT - Asiento 2: Fecha 3-1-20xx	−3.000,00	
e) Otros activos financieros.			−750
B06e0001	Pagos por inversiones. Otros activos financieros - Asiento 16: Fecha 30-09-20xx	−750,00	
g) Otros activos.			−540,00
B06g0001	Pagos por inversiones. Otros activos. IVA soportado - Asiento 2: Fecha 3-1-20xx	−540,00	
7. Cobros por desinversiones (+).			**472,5**
e) Otros activos financieros.			472,5
B07e0001	Pagos por inversiones. Otros activos financieros - Asiento 17: Fecha 31-10-20xx	472,50	
8. Flujos de efectivo de las actividades de inversión (7−6)			**−3.817,50**

C) Flujos de efectivo DE LAS ACTIVIDADES DE FINANCIACIÓN

9. Cobros y pagos por instrumentos de patrimonio.			**10.000,00**
a) Emisión de instrumentos de patrimonio (+).			10.000,00
C09a0001	*Emisión Instrum. de patrimonio. Aportación Capital Social - Asiento 1: Fecha 1-1-20xx*	*10.000,00*	
10. Cobros y pagos por instrumentos de pasivo financiero.			**638,87**
a) Emisión			6.540,00
2. Deudas con entidades de crédito (+).			3.000,00
C10a2001	*Pasivo financiero. Deudas Entidades de cto. C/P. Principal -Asiento 7: Fecha 1-1-20xx*	*1.153,39*	
C10a2002	*Pasivo financiero. Deudas Entidades de cto. L/P. Principal - Asiento 7: Fecha 1-1-20xx*	*1.846,61*	
3. Deudas con empresas del grupo y asociadas (+).			
4. Otras deudas (+).			3.540,00
C10a4001	*Pasivo financiero. Otras deudas - Asiento 2: Fecha 3-1-20xx*	*3.540,00*	
b) Devolución y amortización de			−5.901,13
2. Deudas con entidades de crédito (−).			−2.361,13
C10b2001	*Pasivo financiero. Deudas Entidades Cto. C/P. Principal - Asiento 8: Fecha 31-xx-20xx*	*−1.153,39*	
C10b2003	*Pasivo financiero. Deudas Entidades Cto. Pago Intereses - Asiento 8: Fecha 31-xx-20xx*	*−1.207,74*	
3. Deudas con empresas del grupo y asociadas (−).			
4. Otras deudas (−).			−3.540,00
C10b4001	*Cobros y pagos instrum. finan. Pasivo finan. Otras deudas - Asiento 9: Fecha 3-7-20xx*	*−3.540,00*	
11. Pagos por dividendos y remuneraciones de otros instrumentos de patrimonio.			
a) Dividendos (-).			
b) Remuneración de otros instrumentos de patrimonio (−).			
12. Flujos de efectivo de las actividades de financiación (+/−9+/−10−11)			**10.638,87**

D) Efecto de las variaciones de los tipos de cambio			**10,00**
D0000001	*Efecto variación del tipo de cambio - Asiento 19: Fecha 31-12-20xx*	*10,00*	

E) AUMENTO/DISMINUCIÓN NETA DEL EFECTIVO O EQUIVALENTES (+/−5+/−8+/−12+/− D)	**2.364,83**

Efectivo o equivalentes al comienzo del ejercicio.	0
Efectivo o equivalentes al final del ejercicio.	2.364,83

En los dos últimos epígrafes del Estado se registra, primero, el saldo de las cuentas del grupo 57 al inicio del ejercicio, que en el ejemplo es cero, al iniciarse la actividad de la empresa. Y, segundo, el saldo al final del ejercicio, que en el ejemplo coincide con el saldo de las cuentas 5720001 Bancos 1 y 5730001 Banco cuenta m.e. (contravalorada a u.m.), que suma un total de 2.364,83 u.m. Por tanto, la diferencia entre el inicio y el final del ejercicio es 2.364,83 u.m.

Este diferencial coincide con el epígrafe E) AUMENTO NETO DEL EJERCICIO del estado de flujos de efectivo, por lo que el Estado está cuadrado.

Visto de esta forma, con el detalle de los movimientos que componen cada epígrafe del Estado, se logra una información valiosa para los analistas y usuarios de la información contable, visualizando los movimientos y su concepto, en definitiva, identificando claramente su origen, y facilitando y permitiendo un análisis más profundo del origen y destino de los movimientos de flujo de efectivo que se producen en la empresa. La visión de las entrañas del Estado, de su composición, solo se consigue gracias al registro de las cuentas de flujo: la contabilidad triangular.

Además, para llevar a cabo la construcción solo se han necesitado los importes registrados en las cuentas de flujo, no siendo necesario acudir a información extracontable para completar o determinar el estado.

La construcción del Estado, tal como se aprecia, no requiere un elevado esfuerzo de cálculo ni complejidad, simplemente se agregan las cuentas de flujo en sus respectivos epígrafes, que se correlacionan directamente por el número de cuenta de flujo (al igual que ocurre con las cuentas de balance respecto al estado de balance de situación o con las cuentas de resultados respecto al estado de Cuenta de Pérdidas y Ganancias). Cualquier sistema de información contable puede llevar a cabo la tarea de elaboración del estado de flujos de efectivo de una forma fácil y con la única información de las cuentas de flujo (a excepción de los resultados y de las cuentas del grupo 57, pero ambas ya están disponibles en la contabilidad de partida doble).

Elaboración intermedia del estado de flujos de efectivo

Como ya se ha destacado anteriormente, otra de las grandes ventajas que aporta la contabilidad triangular es que permite construir un estado de flujos de efectivo intermedio, es decir, escoger un intervalo temporal y elaborar el estado de flujos de efectivo con los movimientos que se han registrado durante el intervalo elegido, sin necesidad de recurrir al balance ni a la cuenta de resultados y/o a datos extracontables. Por ejemplo, se podría construir un estado de flujos de efectivo para el último semestre del ejercicio, agrupando los movimientos de las cuentas de flujo para ese periodo, es decir, desde el asiento número 8 hasta el asiento número 20.

La cuenta de resultados del segundo semestre asciende a: –11.460,99 u.m. (en negativo al tratarse de pérdidas), y recoge los resultados que se han registrado desde el asiento número 8 hasta el número 20. Por tanto, en el epígrafe 1.Resultado del **periodo** antes de impuestos, se tomará este importe[43].

El saldo del efectivo o equivalente inicial del segundo semestre asciende a 10.640,00 u.m. y recoge los movimientos de la cuenta de 5720001 Bancos 1 que se han asentado desde el asiento primero hasta el número 7. El saldo final de efectivo o equivalente a efectivo es el mismo que el del final de ejercicio: 2.364,83 u.m. (suma del saldo de las cuentas 5720001 Bancos 1 y 5730001 Banco cuenta m.e. [contravalorada a u.m.]). Por tanto, la diferencia entre el inicio y el final del periodo del efectivo o equivalente de efectivo es igual a –8.275,17 u.m., es decir, se ha producido una disminución del saldo de efectivo o equivalente de efectivo durante el segundo semestre.

El estado de flujos de efectivo del segundo semestre se elabora agregando y agrupando las cuentas de flujo que se han registrado durante el segundo semestre (del asiento número 8 al asiento número 20). A continuación se muestra el estado, detallando las cuentas de flujo y los asientos que afectan a cada partida del mismo.

---

[43] Nótese que se ha cambiado la palabra "ejercicio" por "periodo", ya que hace referencia a un periodo que no coincide con el ejercicio.

estado de flujos de efectivo		2.º S SEMESTRE
A) Flujos de efectivo DE LAS ACTIVIDADES DE EXPLOTACIÓN		
1. Resultado del periodo antes de impuestos.		−11.460,99
2. Ajustes del resultado.		8.360,49
a) Amortización del inmovilizado (+).		750,00
A02a0001	*Ajuste resultado. Amortización inmovilizado - Asiento 12: Fecha 31-12-20xx*	*750,00*
b) Correcciones valorativas por deterioro (+/−).		5.900,00
A02b0001	*Ajuste rtado. Corrección valorativa. Deterioro cliente 1 - Asiento 10: Fecha 15-8-20xx*	*5.900,00*
c) Variación de provisiones (+/−).		850,00
A02c0001	*Ajuste rtado. Variación provisiones. Sanción Admón - Asiento 13: Fecha 31-08-20xx*	*850,00*
f) Resultados por bajas y enajenaciones de instrumentos financieros (+/−).		−97,50
A02f0001	*Ajuste rtado. Resultados de instrumentos financieros - Asiento 17: Fecha 31-10-20xx*	*−97,50*
g) Ingresos financieros (−).		−116,00
A02g0001	*Ajuste resultado. Ingresos financieros liquidación c/c - Asiento 14: Fecha 31-08-20xx*	*−116,00*
h) Gastos financieros (+).		1.207,74
A02h0001	*Ajuste resultado. Gastos financieros - Asiento 8: Fecha 31-xx-20xx*	*1.207,74*
i) Diferencias de cambio (+/−).		−10,00
A02i0001	*Ajuste resultado. Diferencias de cambio m.e - Asiento 19: Fecha 31-12-20xx*	*−10,00*
j) Variación de valor razonable en instrumentos financieros (+/−).		−123,75
A02j0001	*Ajuste rtado. Variación valor razonable instrum. finan. - Asiento 18: Fecha 31-12-20xx*	*−123,75*
3. Cambios en el capital corriente.		−1.237,29
b) Deudores y otras cuentas a cobrar (+/−).		−22,04
A03b0001	*Deudores y otras cuentas a cobrar. Cliente 1 - Asiento 10: Fecha 15-8-20xx*	*5.900,00*
A03b0003	*Deudores y otras cta.s a cobrar. Cliente 1 dudoso cobro - Asiento 10: Fecha 15-8-20xx*	*−5.900,00*
A03b0006	*Deudores y otras ctas. a cobrar. HP Deudora. retención - Asiento 14: Fecha 31-08-20xx*	*−22,04*
d) Acreedores y otras cuentas a pagar (+/−).		900,00
A03d0004	*Acreedores y otras ctas. a pagar. Seg. Social Acreedora - Asiento 11: Fecha 31-xx-20xx*	*300,00*

| A03d0005 | Acreedores y otras ctas. a pagar: HP Acreed. retenciones - Asiento 11: Fecha 31-xx-20xx | | 600,00 |

e) Otros pasivos corrientes (+/–).

| A03e0002 | Acreedores y otras cuentas a pagar. Iva Repercutido - Asiento 4: Fecha 15-1-20xx | | |

f) Otros activos y pasivos no corrientes (+/–).   –2.115,25

| A03f0001 | Otros activos no corrientes - Asiento 20: Fecha 31-12-20xx | –2.115,25 | |

4. Otros flujos de efectivo de las actividades de explotación.   **2.231,25**

c) Cobros de intereses (+).   116,00

| A04c0001 | Otros activos no corrientes - Asiento 14: Fecha 31-08-20xx | 116,00 | |

d) Cobros (pagos) por impuesto sobre beneficios (+/–).   2.115,25

| A04d0001 | Cobros pagos por impuestos beneficios - Asiento 20: Fecha 31-12-20xx | 2.115,25 | |

5. Flujos de efectivo de las actividades de explotación (+/–1+/–2+/–3+/–4)   **–2.106,54**

B) Flujos de efectivo DE LAS ACTIVIDADES DE INVERSIÓN

6. Pagos por inversiones (–).   **–750,00**

e) Otros activos financieros.   –750

| B06e0001 | Pagos por inversiones. Otros activos financieros - Asiento 16: Fecha 30-09-20xx | –750,00 | |

7. Cobros por desinversiones (+).   **472,5**

e) Otros activos financieros.   472,5

| B07e0001 | Pagos por inversiones. Otros activos financieros - Asiento 17: Fecha 31-10-20xx | 472,50 | |

8. Flujos de efectivo de las actividades de inversión (7–6)   **–277,50**

C) Flujos de efectivo DE LAS ACTIVIDADES DE FINANCIACIÓN

9. Cobros y pagos por instrumentos de patrimonio.   **0,00**

10. Cobros y pagos por instrumentos de pasivo financiero.   **–5.901,13**

a) Emisión   0,00

b) Devolución y amortización de   –5.901,13

2. Deudas con entidades de crédito (–).   –2.361,13

| C10b2001 | Pasivo financiero. Deudas Entidades Cto. C/P. Principal - Asiento 8: Fecha 31-xx-20xx | –1.153,39 | |

| C10b2003 | Pasivo financiero. Deudas Entidades Cto. Pago Intereses - Asiento 8: Fecha 31-xx-20xx | –1.207,74 | |

3. Deudas con empresas del grupo y asociadas (–).

4. Otras deudas (–).			–3.540,00
C10b4001	*Cobros y pagos instrum. finan. Pasivo finan. Otras deudas - Asiento 9: Fecha 3-7-20xx*	*–3.540,00*	
11. Pagos por dividendos y remuneraciones de otros instrumentos de patrimonio.			**0,00**
a) Dividendos (–).			
b) Remuneración de otros instrumentos de patrimonio (–).			
12. Flujos de efectivo de las actividades de financiación (+/–9+/–10–11)			**–5.901,13**
D) Efecto de las variaciones de los tipos de cambio			**10,00**
D0000001	*Efecto variación del tipo de cambio - Asiento 19: Fecha 31-12-20xx*	*10,00*	
E) AUMENTO/DISMINUCIÓN NETA DEL EFECTIVO O EQUIVALENTES (+/–5+/–8+/–12+/–D)			**–8.275,17**
Efectivo o equivalentes al comienzo del periodo			10.640,00
Efectivo o equivalentes al final del periodo			2.364,83

Tal como se aprecia, el total de la disminución del efectivo del Estado coincide con la variación del efectivo o equivalentes del periodo: –8.275,17 u.m. Por lo tanto, el estado de flujos de efectivo que recoge los movimientos del segundo semestre está cuadrado.

La mecánica de elaboración de un estado de flujos de efectivo acotado para un determinado periodo es la misma que para el ejercicio y con la misma facilidad, ya que resulta de agrupar los movimientos de las cuentas de flujo que se han producido en dicho determinado periodo en sus correspondientes epígrafes. Para cualquier sistema de información contable, si es capaz de generar el estado de flujos de efectivo del ejercicio con las cuentas de flujo, no supone ninguna dificultad añadida seleccionar los movimientos de flujo por fechas y construir un Estado para un determinado periodo.

De la misma forma, y con la misma simplicidad, se podría elaborar el estado de flujos de efectivo de cualquier periodo dentro del ejercicio o plurianual, obteniendo dicho estado y la información detallada que se recoge en el mismo.

Esta gran ventaja permite a cualquier usuario de la información contable comparar distintos periodos y/o agrupar periodos de la información contenida en el estado, con la consiguiente capacidad y disponibilidad de los datos, para llevar a cabo un análisis más profundo de las variaciones que se producen, y, sobre todo, del origen de las mismas. El conocimiento profundo de los flujos de efectivo de la empresa representa una gran ventaja añadida de cara a la gestión de la misma, y sobre todo a la gestión de la tesorería.

Por otro lado, de la misma forma que se proyectan resultados futuros para realizar previsiones, se podrían proyectar los movimientos de flujo de efectivo inherentes a los resultados proyectados, logrando elaborar un estado de flujos de efectivo previsional.

Análisis de las Cuentas de Flujo y del estado de flujos de efectivo

Aunque el propósito del presente libro es ofrecer una visión general de la contabilidad triangular, se aprovechan los datos y asientos reflejados en el ejemplo práctico, para mostrar el valor añadido que la contabilidad de partida triple aporta respecto a la capacidad de análisis sobre la información que genera, logrando una nueva perspectiva en el conocimiento y visión de los flujos de efectivo, sus movimientos y su composición.

Gracias al detalle que se consigue con la contabilidad triangular, es posible analizar la evolución de una cuenta de flujo, pudiéndose obtener información completa sobre el movimiento de flujo que ha generado dicha cuenta, y por integración, el movimiento del saldo de una determinada partida del estado de flujos de efectivo.

Por ejemplo, el equivalente al libro mayor de la cuenta de flujo *A03d0003 Acreedores y otras cuentas a pagar. Proveedor 3* sería:

A03d0003	Acreedores y otras cuentas a pagar. Proveedor 3

Importe	*Saldo Acum.*	Descripción	Asiento
4.130,00	*4.130,00*	Proveedor 3 - Financiación	Asiento 3: Fecha 30-1-20xx
–4.130,00	*0,00*	Proveedor 3 - Pago	Asiento 6: Fecha 31-3-20xx

La cuenta A03d0003 refleja los movimientos de flujos que se producen por las operaciones ordinarias de explotación, relacionadas con proveedores y acreedores comerciales. En esta cuenta de flujo se puede apreciar que con fecha 30-1-20xx se obtuvo financiación del proveedor número 3 durante 60 días, movimiento en positivo, y que finalmente el flujo obtenido se canceló (por el pago de la deuda financiada) a los 60 días, es decir, a 31-3-20xx, por el movimiento en negativo. El saldo de esta cuenta de flujo, que se recoge en el epígrafe correspondiente del estado de flujos de efectivo: Grupo A) Flujos de efectivo de las actividades explotación, epígrafe 03 Cambios en el capital corriente, y partida d) Acreedores y otras cuentas a pagar (+/-), es cero. Aunque su saldo final del periodo haya sido cero y, por lo tanto, sin reflejo en el estado de flujos de efectivo, existen movimientos a lo largo del periodo, de los que, de no ser por el extracto de la cuenta de flujo, no podría obtenerse un histórico de su evolución.

Si comparásemos un estado de flujos de efectivo al inicio del periodo y otro al final del periodo, la partida del estado A)03d) Acreedores y otras cuentas a pagar (+/–) aparecería en ambos a cero, y sin variación. La visualización y análisis de la cuenta de flujo recogida en dicha partida nos permite conocer que durante 60 días la empresa obtuvo financiación del proveedor 3, por importe de 4.130,00. Esta información respecto al movimiento de flujo de efectivo se obtiene gracias únicamente a la contabilidad triangular, no siendo necesario acudir a los datos de la contabilidad tradicional o extracontables para obtener la misma información sobre los flujos.

Otro ejemplo similar lo obtenemos de la visualización del extracto de la cuenta de flujo *A03b0001 Deudores y otras cuentas a cobrar. Cliente 1:*

A03b0001	Deudores y otras cuentas a cobrar. Cliente 1

Importe	Saldo Acum.	Descripción	Asiento
−11.800,00	−11.800,00	Cliente 1 - Financiación	Asiento 4: Fecha 15-1-20xx
5.900,00	−5.900,00	Cliente 1 - Cobro	Asiento 5: Fecha 15-3-20xx
5.900,00	0,00	Cliente 1 - Traspaso dudoso	Asiento 10: Fecha 15-8-20xx

Aunque el saldo de la cuenta de flujo al final del periodo es igual a cero, y, por consiguiente, su reflejo en la partida correspondiente en el estado de flujos de efectivo también es cero, el extracto de sus movimientos, su libro mayor, en definitiva, permite obtener la evolución histórica del movimiento flujo de efectivo con relación al Cliente 1.

Por tanto, al igual que ocurre en la contabilidad tradicional, los extractos o libros mayores de las cuentas permiten obtener una visión histórica de los movimientos que se han registrado en las mismas. Si, además, existe un desglose de las cuentas de flujo lo suficientemente detallado para cada cliente, proveedor, acreedor, banco, deudor, etc., se consigue la visión individual del impacto sobre los movimientos de flujo de efectivo de dicho cliente, proveedor, acreedor, banco, deudor, etc.

Por otro lado, un sistema de información contable podría permitir "navegar"[44] desde el movimiento de flujo concreto del extracto al asiento origen de dicho movimiento, y viceversa, lo que facilita al usuario obtener de un forma sencilla y ágil toda la información relativa al asiento y al movimiento de flujo, o visualizar el extracto si se "navega" desde el asiento.

En el anexo III: Libro mayor de las cuentas de flujo se muestra el libro mayor (extracto o equivalente) de las cuentas de flujo, ordenadas según codificación de las mismas.

La contabilidad triangular, y por extensión la elaboración directa del estado de flujos de efectivo, también pone a disposición del usuario la capacidad para analizar la composición de una determinada partida del Estado. Tomemos del ejemplo práctico la partida **d) Acreedores y otras cuentas a pagar** del grupo de las actividades explotación, es decir, las cuentas de flujo codificadas con **A03d**:

A) Flujos de efectivo DE LAS ACTIVIDADES DE EXPLOTACIÓN		
3. Cambios en el capital corriente.		
d) Acreedores y otras cuentas a pagar (+/–).		**900,00**
A03d0003	*Acreedores y otras ctas. a pagar. Proveedor 3 - Asiento 3: Fecha 30-1-20xx*	*4.130,00*
A03d0003	*Acreedores y otras ctas. a pagar. Proveedor 3 - Asiento 6: Fecha 31-3-20xx*	*–4.130,00*
A03d0004	*Acreedores y otras ctas. a pagar. Seg. Social Acreed - Asiento 11: Fecha 31-xx-20xx*	*300,00*
A03d0005	*Acreedores y otras ctas. a pagar. HP Acreed. retenciones - Asiento 11: Fecha 31-xx-20xx*	*600,00*

---

[44] La mayoría de los sistemas de información contable existentes en el mercado permiten acceder a través de la pantalla de un determinado asiento al extracto de la cuenta utilizada en dicho asiento, o viceversa, al marcar un determinado movimiento de un extracto acceder al asiento origen de dicho movimiento.

El saldo de dicha partida es de 900,00 u.m., y está compuesta básicamente por la financiación de la Administración Pública: 300,00 u.m. por la Seguridad Social, y 600,00 u.m. por la retención practicada a los salarios del personal. Por tanto, aunque temporalmente ha habido financiación de proveedores y su correspondiente movimiento de flujo, es la Administración Pública la que presenta saldo en esta partida, y la que está generando flujo de financiación a la empresa al final del periodo, por un importe global de 900,00 u.m.

La cuenta A03d0003 *Acreedores y otras cuentas a pagar - Proveedor 3*, no sería necesario reflejarla, ya que su saldo es cero, pero se ha detallado para tener una visión de los movimientos de flujo que han afectado a la partida, y tener información al respecto.

Otro ejemplo de la disponibilidad de información para analizar la composición del saldo de una determinada partida es el siguiente: la partida **b) Deudores y otras cuentas a cobrar** del epígrafe 3. Cambios en el capital corriente, integra las cuentas de flujo codificadas con A03b. El detalle es:

A) Flujos de efectivo DE LAS ACTIVIDADES DE EXPLOTACIÓN		
3. Cambios en el capital corriente.		
b) Deudores y otras cuentas a cobrar (+/–).		–5.922,04
A03b0001	*Deudores y otras ctas. a cobrar. Cliente 1 - Asiento 4: Fecha 15-1-20xx*	–11.800,00
A03b0001	*Deudores y otras cta.s a cobrar. Cliente 1 - Asiento 5: Fecha 15-3-20xx*	5.900,00
A03b0001	*Deudores y otras ctas. a cobrar. Cliente 1 - Asiento 10: Fecha 15-8-20xx*	5.900,00
A03b0003	*Deudores y otras ctas. a cobrar. Cliente 1 dudoso cobro - Asiento 10: Fecha 15-8-20xx*	–5.900,00
A03b0006	*Deudores y otras ctas. a cobrar. HP Deudora retención - Asiento 14: Fecha 31-08-20xx*	–22,04

Como puede apreciarse, el saldo de la cuenta A03b0001 del movimiento de flujo del Cliente 1 es cero, pero se ha incluido su detalle para analizar la evolución de la partida.

El flujo negativo de esta partida viene provocado mayoritariamente por el impago del Cliente 1, por 5.900,00 u.m., mientras que el resto del movimiento del flujo se produce por la financiación facilitada por la retención practicada sobre los intereses cobrados.

Este nivel de detalle permite al analista y/o usuario de la información realizar una ponderación sobre el origen del saldo de la partida b)Deudores y otras cuentas a cobrar. Aunque en este ejemplo es obvia la ponderación de cada una de las cuentas de flujo, resulta sumamente interesante en la comprensión y análisis del origen de los movimientos de flujos de efectivo, en el devenir de la empresa.

La ponderación de los saldos que componen la partida del Estado de los flujos de efectivo es la siguiente:

- Cliente 1 de dudoso cobro: Representa el 99,63 % del saldo de la partida

- HP Deudora por retención: Representa el 0,37 % del peso del montante de la partida.

La monitorización de esta información resulta de gran utilidad, tanto para conocer el origen de los movimientos de flujo, como para, y aún más importante, influir en su gestión.

El conocimiento de la incidencia de las operaciones de la empresa en el estado de flujos de efectivo, es decir, en el movimiento de flujos de efectivo, pone a disposición de sus gestores la capacidad de tomar decisiones que permitan incidir en dichos movimientos de flujos.

El detalle de la composición del estado de flujos de efectivo también permite analizar la composición de un determinado epígrafe del estado. Tomemos el epígrafe **10.Cobros y pagos por instrumentos de pasivo financiero** del grupo de los flujos de efectivo de las actividades de explotación, que está compuesto por las partidas *a)Emisión* y *b)Devolución y amortización* y, por tanto, agrupa las cuentas de flujo codificadas inicialmente con **C10a y C10b.** Como se aprecia en el estado de flujos el saldo de dicho epígrafe es de 638,87 u.m., pero el desglose y movimientos de los mismos aportan mucha más información:

C) Flujos de efectivo DE LAS ACTIVIDADES DE FINANCIACIÓN		
10. Cobros y pagos por instrumentos de pasivo financiero.		638,87
C10a2001	*Pasivo financiero. Deudas Entidades de. Cto. C/P. Principal -Asiento 7: Fecha 1-1-20xx*	*1.153,39*
C10a2002	*Pasivo financiero. Deudas Entidades de Cto. L/P. Principal - Asiento 7: Fecha 1-1-20xx*	*1.846,61*
C10a4001	*Pasivo financiero. Otras deudas - Asiento 2: Fecha 3-1-20xx*	*3.540,00*
C10b2001	*Pasivo financiero. Deudas Entidades Cto. C/P. Principal - Asiento 8: Fecha 31-xx-20xx*	*−1.153,39*
C10b2003	*Pasivo financiero. Deudas Entidades Cto. Pago Intereses - Asiento 8: Fecha 31-xx-20xx*	*−1.207,74*
C10b4001	*Cobros y pagos instrum. finan. Pasivo finan. Otras deudas - Asiento 9: Fecha 3-7-20xx*	*−3.540,00*

De este desglose se aprecia qué parte de los intereses han salido como flujo de financiación (1.207,74 u.m.), y qué parte de amortización de deuda (1.153,39 u.m.). Además, también puede advertirse que parte del flujo de la actividad de financiación proviene de la financiación del proveedor de Equipos de IT, que, aunque al final del periodo dicho flujo está saldado, afecta a distintas cuentas de flujo que se clasifican en distintas partidas del estado:

C10a4001	*Asiento 2: Fecha 3-1-20xx: Acreedor 1 Equipos IT*	*3.540,00*	*u.m.*
C10b4001	*Asiento 9: Fecha 3-7-20xx: Acreedor 1 Equipos IT*	*−3.540,00*	*u.m.*

También puede obtenerse el flujo devenido por la deuda con la entidad de crédito, que asciende al final del periodo a 1.846,61 u.m.

C10a2001	*Asiento 7: Fecha 1-1-20xx: Deudas a CP ent. Cto.*	*1.153,39*	*u.m.*
C10a2002	*Asiento 7: Fecha 1-1-20xx: Deudas a LP ent. Cto.*	*1.846,61*	*u.m.*
C10b2001	*Asiento 8: Fecha 31-xx-20xx: Deudas a LP ent. Cto.*	*−1.153,39*	*u.m.*

Y finalmente puede analizarse el origen y composición del saldo del epígrafe:

+1.846,61 u.m. de deuda pendiente (del total de la financiación obtenida inicialmente por el préstamo solicitado)

−1.207,74 u.m. por el pago de intereses.

Saldo epígrafe 10. **Cobros y pagos por instrumentos de pasivo financiero** = +1.846,61 − 1.207,74 = +638,38 u.m.

Por tanto, el saldo positivo de los instrumentos de pasivos financieros proviene de la financiación obtenida, pero minorada por los intereses pagados por la disponibilidad de la misma. Expresado de otra forma: el flujo de entrada de efectivo por los instrumentos financieros tiene su origen en el préstamo facilitado, pero ha supuesto paralelamente una salida por el pago de intereses, que representa el 65,40 % de la financiación pendiente al final del ejercicio (1.207,74 de pago de intereses sobre los 1.846,64 financiación obtenida = 65,40 %).

Si imaginamos toda la información generada por una empresa en funcionamiento respecto a los flujos de efectivo, queda claro que, gracias al detalle que proporcionan las cuentas de flujo, puede obtenerse más información útil y realizarse un análisis más profundo de los flujos que componen las distintas partidas y epígrafes del estado de flujos de efectivo, y sus respectivos movimientos.

En el anexo IV se muestra cómo resultan (bajo la hipótesis de que se cierra el ejercicio tras el registro de los 20 asientos del ejemplo práctico) el balance de situación, la Cuenta de Pérdidas y Ganancias, y el estado de flujos de efectivo de la sociedad. En la parte derecha de los distintos estados, se ha referenciando el número de asiento correspondiente a los movimientos registrados que afectan a la partida o epígrafe indicados.

VENTAJAS Y CONSIDERACIONES FINALES DE LA CONTABILIDAD TRIANGULAR

La simplicidad de los asientos del ejemplo mostrado y el bajo número de los mismos pueden inducir a pensar en la trivialidad en cuanto a la obtención de información relevante, generada con la contabilidad triangular del ejemplo práctico desarrollado en el capítulo anterior, pero si se realiza el ejercicio de desarrollar la contabilidad triangular en la contabilidad de una empresa en funcionamiento, la información obtenida relevante es de mucho mayor calado y sobre todo útil.

El desarrollo de la contabilidad triangular de un ejercicio completo en una empresa modelo conllevaría un volumen demasiado elevado de redactado y análisis de la casuística de los hechos contables respecto al movimiento de los flujos de efectivo, desviándose del propósito del presente trabajo, que pretende dar una primera pincelada y una visión general de la contabilización triangular.

Las ventajas que aporta la contabilidad de partida triple o triangular se han ido describiendo a lo largo del libro, y pueden resumirse en los siguientes puntos:

- **Elaboración directa del estado de flujos de efectivo**: simplicidad y rapidez, con lo que se consigue construir el estado de flujos de efectivo agrupando las diferentes cuentas de flujo por su codificación, que se correlacionan directamente con las partidas y epígrafes del Estado. Permitiendo, además, su elaboración para cualquier periodo interanual que se requiera, incluso plurianual, y en consecuencia facilitando el análisis de su evolución histórica y comparación entre periodos, sin necesidad de tener un ejercicio cerrado para su elaboración.

Si, además, al igual que ocurre con la contabilidad de partida doble, el sistema de cuentas que utiliza una empresa se codifica de tal forma que permite distinguir contablemente entre secciones y/o líneas de negocios y/o centros de producción distintos (por ejemplo, elaborar una cuenta de resultados para cada centro de producción), dicha distinción puede trasladarse a la contabilidad triangular, lo que permitirá con la misma agilidad y facilidad elaborar el estado de flujos de efectivo para las distintas secciones y/o líneas de negocio de la empresa.

Hasta hoy, la elaboración del estado de flujos de efectivo se realiza a través de distintos procesos, más o menos complejos, pero que precisan de la intervención de personas para procesar información contable, a la vez que se requieren datos extracontables. La contabilidad triangular elimina esos dos condicionantes, y permite a una persona ajena a la información extracontable, y solo con las cuentas de flujo, elaborar de forma directa el estado de flujos de efectivo. Por extensión, al igual que ocurre con la cuenta de pérdidas y ganancias y el balance de situación, cualquier sistema de información contable (*software*) sería capaz de construir, sin ninguna dificultad añadida más que la agrupación de los saldos de las cuentas de flujo, un estado de flujos de efectivo con la información obtenida de dichas cuentas de flujo, y lo que aporta todavía más valor: en cualquier momento y para cualquier periodo.

- **Información relevante**: La contabilidad triangular permite obtener una relación de los saldos de las cuentas de flujo que conforman los distintos epígrafes del estado de flujos de efectivo, y llegar al máximo detalle de las cuentas de flujo; su movimiento y el asiento o hecho contable que provocó su registro. Sin la contabilidad triangular, dicha información resulta mucho más costosa y compleja de obtener, y se hace necesario acudir a información extracontable.

La utilidad de la información obtenida es de gran valor, tanto a los usuarios como a los gestores, ya que permite desde una nueva perspectiva obtener información del movimiento de flujos de efectivo que se producen en la empresa y, sobre todo, gestionar dichos movimientos conociendo de antemano su impacto en el estado de flujos de efectivo.

Gracias a la contabilidad triangular, a la pregunta típica de cualquier gestor ante un determinado hecho contable de: *¿Cómo afecta esta* *decisión a las cuentas de resultados y al balance?*, puede añadirse: *¿Cómo afecta esta decisión al flujo de efectivo de la empresa, o al estado de flujos de efectivo?* La contabilidad triangular da una respuesta directa y detallada a esta pregunta.

Además, la información generada por las cuentas de flujo también es de gran relevancia para la comprensión, seguimiento, control y auditoría del estado de flujos de efectivo.

El marco conceptual para la preparación y presentación de Estados Financieros (aprobado por el Consejo del IASC en abril de 1989 y adoptado por el ISAB en 2001[45]) define que el objetivo de los estados financieros es suministrar información acerca de la situación financiera, desempeño y cambios en la posición financiera. Gran parte de la información financiera de una empresa está contenida en el estado de flujos de efectivo, y gracias a la contabilidad triangular y el acceso al detalle de los movimientos de las cuentas de flujo, es decir, a los cambios y a la evolución de las partidas que componen el estado, no hace más que reforzar el objetivo definido por el marco conceptual para los estados financieros.

Otra gran ventaja del registro de las cuentas de flujo, vislumbrada en el párrafo anterior, es la disponibilidad de la evolución histórica de las mismas, que se recoge en el extracto de la cuenta de flujo. El seguimiento de la evolución de los movimientos de flujo de efectivo de la empresa y, por extensión, de la evolución de los distintos epígrafes del estado de flujos de efectivo es posible a través del libro mayor de las cuentas de flujo. La información facilitada por el extracto, ordenado cronológicamente, permite al usuario disponer de información relativa a los cambios que se han producido en el saldo de la cuenta de una forma directa y sencilla y, de esta forma, conocer con más profundidad la evolución de los flujos de efectivo que han acontecido históricamente en la empresa.

- **Mayor precisión en la elaboración del estado de flujos de efectivo**: Al atacar directamente al hecho contable, el registro de los movimientos de flujos es mucho más preciso, adecuándose al hecho

[45] IASC: International Accounts Standard Council. IASB: Internationtal Accounts Standard Board.

contable, lo que se traslada a una elaboración más precisa y fiel respecto a los movimientos de flujo que la elaboración tradicional del Estado.

La contabilidad triangular permite distinguir claramente qué operaciones corresponden a cada una de las tres actividades, qué distingue el estado de flujos de efectivo: de financiación, de explotación o de inversión:

o El registro de los impuestos indirectos (el IVA) a su correspondiente actividad es mucho más preciso, ya que se realiza desde el propio hecho contable, identificando en ese momento si se trata de una actividad de financiación, explotación o inversión.

o Los costes de financiación pueden registrarse en sus respectivas actividades, identificándose en cada actividad y mostrando su impacto en el grupo correspondiente, evitando distorsiones que pudiesen provocar decisiones poco acertadas o sesgadas.

o Refleja los movimientos de flujo aunque su impacto neto en el estado de flujos de efectivo sea cero. Incluso, dentro de un mismo epígrafe, puede analizarse si el valor cero corresponde a que no ha habido movimientos de flujo o a que ha habido movimientos cuyo saldo final resulta cero.

o Permite el registro de transacciones no monetarias, que a priori no tendrían impacto en el efectivo, pero sí que existe un impacto en la estructura patrimonial de la empresa.

La contabilidad triangular logra eliminar las carencias y lagunas que surgen en la elaboración tradicional del estado de flujos de efectivo, consiguiendo, como efecto colateral, una elaboración más homogénea del Estado entre distintas empresas, ya que los criterios de registro de movimientos de flujo surgen del propio hecho contable, y no de la variación de partidas de balance o de información extracontable.

- **Independencia y complementariedad**: La contabilidad triangular no distorsiona ni condiciona en ningún momento el registro de la contabilidad tradicional: es una agregación. La contabilidad de partida triple se registra complementariamente a la contabilidad de partida doble, teniendo un carácter opcional. El procedimiento del cuadre de los asientos, la elaboración de estados y la elaboración del balance de comprobación de sumas y saldos bajo la contabilidad triangular son exactamente los mismos que en la contabilidad de partida doble. Cualquier sistema de información contable podría facilitar la opcionalidad de la contabilidad triangular, de tal forma que la información facilitada por la contabilidad de partida doble fuera la misma, independientemente de si se registrasen las cuentas de flujo o no.

La contabilidad de partida triple corrobora su propia integridad y cuadre simultáneamente a la contabilidad de partida doble, gracias al balance de comprobación de la contabilidad triangular y al cuadre del asiento global (que cuadra y engloba tanto las cuentas de flujo como las cuentas patrimoniales). La independencia y complementariedad de la contabilidad triangular se refleja en el hipotético caso de que los asientos de las cuentas de flujos estuvieran descuadrados (por signo o por importe): dicho descuadre no afectaría en ningún aspecto al cuadre de la contabilidad tradicional ni a la elaboración de los estados obligatorios (excepto el estado de flujos de efectivo, claro, que recogería el descuadre de las cuentas de flujo).

- **Bajo impacto tecnológico, económico y de formación**: La estructuración de las cuentas de flujo y su contabilización no es más que una extensión de las cuentas patrimoniales, por lo tanto, el coste tecnológico de implantar la contabilidad triangular a cualquier sistema de información contable es bajo, ya que pueden aprovecharse los procesos de cuadre, de elaboración del balance de comprobación y de elaboración de estados que ya existen en la contabilidad de partida doble, y que solo deben ampliarse a un nuevo cuadro de cuentas, las cuentas de flujo.

Por esta misma razón, a cualquier persona con conocimientos de contabilidad le resultará sumamente fácil la comprensión y asimilación de la contabilidad triangular, ya que los principios contables, la estructuración y el registro del hecho contable son exactamente los mismos que en la contabilidad de partida doble.

Otro aspecto destacable, al igual que ocurre con la contabilidad de partida doble, es que los asientos de determinados hechos contables pueden pautarse (usando plantillas), ya que siempre afectarán de la misma forma al flujo de efectivo, facilitando la automatización del registro del asiento y, en consecuencia, la elección de la cuenta de flujo afectada.

Por último, la agilidad y precisión en la elaboración del estado de flujos de efectivo conlleva una economicidad en el tiempo y recursos destinados a ello, facilitando, tanto a los responsables de su elaboración como a los usuarios de la información contenida en el mismo, un mayor detalle de sus partidas y epígrafes si así lo requieren, sin coste temporal ni monetario de extracción de información.

Queda claro el valor añadido y las ventajas que aporta la contabilidad triangular, resumidas en este capítulo, y el bajo coste de implantación que supone su desarrollo, tanto a nivel económico, tecnológico como de formación.

La contabilidad de partida triple se enmarca dentro de la contabilidad de partida doble como una mejora sistémica, como un paso más respecto al debe y al haber, como si se tratara del desarrollo de la tercera dimensión contable, que permite codificar, aparte de las dos dimensiones actuales (debe y haber), una tercera: el movimiento de flujos de efectivo. La madurez de la información contable, las necesidades de los usuarios de la misma y el elevado desarrollo de los sistemas de información contable hacen necesario avanzar hacia una perspectiva distinta del hecho contable, donde se refleje el movimiento de flujo, proporcionando nueva información útil y valiosa.

Quizás la pretensión de la contabilidad triangular no es generar una revolución contable, pero no me sentiría culpable de provocar una pequeña rebelión tras seis siglos de debe y haber.

ANEXO I: Estados normales de las cuentas anules

MODELOS NORMALES DE CUENTAS ANUALES

BALANCE AL CIERRE DEL EJERCICIO 200X

Nº CUENTAS	ACTIVO	NOTAS de la MEMORIA	200X	200X-1
	A) ACTIVO NO CORRIENTE			
	I. Inmovilizado intangible.			
201, (2801), (2901);	1. Desarrollo.			
202, (2802), (2902);	2. Concesiones.			
203, (2803), (2903);	3. Patentes, licencias, marcas y similares.			
204	4. Fondo de comercio.			
206, (2806), (2906);	5. Aplicaciones informáticas.			
205, 209, (2805), (2905);	6. Otro inmovilizado intangible.			
	II. Inmovilizado material.			
210, 211, (2811), (2910), (2911);	1. Terrenos y construcciones.			
212,213,214,215,216,217,218,219,(2812),(2813),(2814),(2815),(2816),	2. Instalaciones técnicas, y otro inmovilizado material			
(2817),(2818),(2819),(2912),(2913),(2914),(2915),(2916),(2917),(2918),(2919)				
23	3. Inmovilizado en curso y anticipos.			
	III. Inversiones inmobiliarias.			
220, (2920)	1. Terrenos.			
221, (2921), (2921)	2. Construcciones.			
	IV. Inversiones en empresas del grupo y asociadas a largo plazo.			
2403,2404,(2493),(2494),(293)	1. Instrumentos de patrimonio.			
2423,2424,(2953),(2954)	2. Créditos a empresas.			
2420,2421,(2069),(2064)	3. Valores representativos de deuda.			
2413,2414,(2943),(2944)	4. Derivados.			
	5. Otros activos financieros.			
	V. Inversiones financieras a largo plazo.			
2405,(2495),250,(259)	1. Instrumentos de patrimonio.			
2425,252,253,254,(2955),(298)	2. Créditos a terceros.			
2415,251,(2945),(297)	3. Valores representativos de deuda.			
255	4. Derivados.			
258,26	5. Otros activos financieros.			
474	**VI. Activos por impuesto diferido**			
	B) ACTIVO CORRIENTE			
	I. Activos no corrientes mantenidos para la venta.			
580,581,582,583,584,(599)	**II. Existencias.**			
30,(390)	1. Comerciales.			
31,32,(391),(392)	2. Materias primas y otros aprovisionamientos.			
33,34,(393),(394)	3. Productos en curso.			
35,(395)	4. Productos terminados.			
36,(396)	5. Subproductos, residuos y materiales recuperados.			
407	6. Anticipos a proveedores.			
	III. Deudores comerciales y otras cuentas a cobrar.			
430,431,432,435,436,(437),(490),(4935)	1. Clientes por ventas y prestaciones de servicios.			
433,434,(4933),(4934);	2. Clientes, empresas de grupo y asociadas.			
44,5531,5533	3. Deudores varios.			

ACTIVO

Nº CUENTAS	ACTIVO	NOTAS de la MEMORIA	200X	200X-1
	A) ACTIVO NO CORRIENTE			
460, 544	4. Personal.			
4709	5. Activos por impuesto corriente.			
4700, 470, 471, 472	6. Otros créditos con las Administraciones Públicas.			
5580	7. Accionistas (socios) por desembolsos exigidos.			
	IV. Inversiones en empresas del grupo y asociadas a corto plazo.			
5303, 5304, (5393), (5394), (593)	1. Instrumentos de patrimonio.			
5323, 5324, 5343, 5344, (5953), (5954)	2. Créditos a empresas.			
5313, 5314, 5333, 5334, (5943), (5944)	3. Valores representativos de deuda.			
	4. Derivados.			
5353, 5354, 5523, 5524	5. Otros activos financieros.			
	V. Inversiones financieras a corto plazo.			
5305, 540, (5395), (549)	1. Instrumentos de patrimonio.			
5325, 5345, 542, 543, 547, (5965), (598)	2. Créditos a empresas.			
5315, 5335, 541, 546, (5945), (597)	3. Valores representativos de deuda.			
5590, 5690	4. Derivados.			
5355, 545, 548, 551, 5525, 565, 566	5. Otros activos financieros.			
480, 567	**VI. Periodificaciones a corto plazo.**			
	VII. Efectivo y otros activos líquidos equivalentes.			
570, 571, 572, 573, 574, 575	1. Tesorería.			
576	2. Otros activos líquidos equivalentes.			
	TOTAL ACTIVO (A + B)			

PATRIMONIO NETO Y PASIVO

Nº CUENTAS	PATRIMONIO NETO Y PASIVO	NOTAS de la MEMORIA	200X	200X-1
	A) PATRIMONIO NETO			
	A-1) Fondos propios.			
	I. Capital.			
100, 101, 102	1. Capital escriturado.			
(1030), (1040)	2. (Capital no exigido).			
110	**II. Prima de emisión.**			
	III. Reservas.			
112, 1141	1. Legal y estatutarias.			
113, 1140, 1142, 1143, 1144, 115, 119	2. Otras reservas.			
(108), (109)	**IV. (Acciones y participaciones en patrimonio propias).**			
	V. Resultados de ejercicios anteriores.			
120	1. Remanente.			
(121)	2. (Resultados negativos de ejercicios anteriores).			
118	**VI. Otras aportaciones de socios.**			
129	**VII. Resultado del ejercicio.**			
(557)	**VIII. (Dividendo a cuenta).**			
111	**IX. Otros instrumentos de patrimonio neto.**			
	A-2) Ajustes por cambios de valor.			
133	I. Activos financieros disponibles para la venta.			

Nº CUENTAS	PATRIMONIO NETO Y PASIVO	NOTAS de la MEMORIA	200X	200X-1
1340	II. Operaciones de cobertura.			
137	III. Otros.			
130, 131, 132	A-3) Subvenciones, donaciones y legados recibidos.			
	B) PASIVO NO CORRIENTE			
	I. Provisiones a largo plazo.			
140	1. Obligaciones por prestaciones a largo plazo al personal.			
145	2. Actuaciones medioambientales.			
146	3. Provisiones por reestructuración.			
141,142,143,147	4. Otras provisiones.			
	II. Deudas a largo plazo.			
177,178,179	1. Obligaciones y otros valores negociables.			
1605,170	2. Deudas con entidades de crédito.			
1625,174	3. Acreedores por arrendamiento financiero.			
176	4. Derivados.			
1615,1635,171,172,173,175,180,185,189	5. Otros pasivos financieros.			
1603,1604,1613,1614,1623,1624,1633,1634	III. Deudas con empresas del grupo y asociadas a largo plazo.			
479	IV. Pasivos por impuesto diferido.			
181	V. Periodificaciones a largo plazo.			
	C) PASIVO CORRIENTE			
	I. Pasivos vinculados con activos no corrientes mantenidos para la venta.			
499,529	II. Provisiones a corto plazo.			
	III. Deudas a corto plazo.			
500,501,505,506	1. Obligaciones y otros valores negociables.			
5105,520,527	2. Deudas con entidades de crédito.			
5125,524	3. Acreedores por arrendamiento financiero.			
5595,5598	4. Derivados.			
(1034),(1044),(190),(192),194,509,5115,5135,5145,521,522,523, 525,526,528,551,5525,5530,5532,555,5565,5566, 560,561,569	5. Otros pasivos financieros.			
5103,5104,5113,5114,5123,5124,5133,5134,5143,5144,5523, 5524 5663,5664	IV. Deudas con empresas del grupo y asociadas a corto plazo.			
	V. Acreedores comerciales y otras cuentas a pagar.			
400,401,405,(406)	1. Proveedores.			
403,404	2. Proveedores, empresas de grupo y asociadas.			
41	3. Acreedores varios.			
465,466	4. Personal (remuneraciones pendientes de pago).			
4752	5. Pasivos por impuesto corriente.			
4750,4751,4758,476,477	6. Otras deudas con las Administraciones Públicas.			
438	7. Anticipos de clientes.			
485,568	VI. Periodificaciones a corto plazo.			
	TOTAL PATRIMONIO NETO Y PASIVO (A + B + C)			

CUENTA DE PÉRDIDAS Y GANANCIAS CORRESPONDIENTE AL EJERCICIO TERMINADO EL .... DE 200X

Nº CUENTAS		Nota	(Debe) Haber	
			200X	200X-1
	A) OPERACIONES CONTINUADAS			
700,701,702,703,704,(706),(708),(709)	**1. Importe neto de la cifra de negocios.**			
705	a) Ventas.			
(6930),701*,7900	b) Prestaciones de servicios.			
73	**2. Variación de existencias de productos terminados y en curso de fabricación.**			
	3. Trabajos realizados por la empresa para su activo.			
	4. Aprovisionamientos.			
(600),6060,6080,6090, 610*	a) Consumo de mercaderías.			
(601),(602),6061,6062,6081,6082,6091,6092,611*,612*	b) Consumo de materias primas y otras materias consumibles.			
(607)	c) Trabajos realizados por otras empresas.			
(6931),(6932),(6933),7931,7932,7933	d) Deterioro de mercaderías, materias primas y otros aprovisionamientos.			
	5. Otros ingresos de explotación.			
75	a) Ingresos accesorios y otros de gestión corriente.			
740, 747	b) Subvenciones de explotación incorporadas al resultado del ejercicio.			
	6. Gastos de personal.			
(640),(641),(6450)	a) Sueldos, salarios y asimilados.			
(642),(643),(649)	b) Cargas sociales.			
(644),(6457),7950,7957	c) Provisiones.			
	7. Otros gastos de explotación.			
(62)	a) Servicios exteriores.			
(631),(634),636,639	b) Tributos.			
(650),(694),(695),794,7954	c) Pérdidas, deterioro y variación de provisiones por operaciones comerciales.			
(651),(659)	d) Otros gastos de gestión corriente.			
(68)	**8. Amortización del inmovilizado.**			
746	**9. Imputación de subvenciones de inmovilizado no financiero y otras.**			
7951,7952,7955,7956	**10. Excesos de provisiones.**			
(690),(691),(692),790,791,792	**11. Deterioro y resultado por enajenaciones del inmovilizado.**			
(670),(671),(672),770,771,772	a) Deterioros y pérdidas.			
	b) Resultados por enajenaciones y otras.			
	A.1) RESULTADO DE EXPLOTACIÓN (1+2+3+4+5+6+7+8+9+10+11)			
	12. Ingresos financieros.			
	a) De participaciones en instrumentos de patrimonio.			
7600,7601	a) En empresas de grupo y asociadas.			
7602,7603	a) En terceros.			
	b) De valores negociables y otros instrumentos financieros.			
7610,7611,76200,76201,76210,76211	b) De empresas del grupo y asociadas.			
7612,7613,76202,76203,76212,76213,767,769	b) De terceros.			
	13. Gastos financieros.			
(6610),(6611),(6615),(6616),(6620),(6621),(6640),(6641),(6650),(6651),	a) Por deudas con empresas de grupo y asociadas.			
(6654),(6655)				
(6612),(6613),(6617),(6618),(6622),(6623),	b) Por deudas con terceros.			
(6624),(6642),(6643),(6652),(6653),(6656),(6657),(6659)				
(660)	c) Por actualización de provisiones.			
	14. Variación de valor razonable en instrumentos financieros.			
(6630),(6631),(6633),7630,7631,7633	a) Cartera de negociación y otros.			
(6632),7632	b) Imputación al resultado del ejercicio por activos financieros disponibles para la venta.			
(668),768	**15. Diferencias de cambio.**			
	16. Deterioro y resultado por enajenaciones de instrumentos financieros.			
(696),(697),(698),(699),796,797,798,799	a) Deterioros y pérdidas.			
(666),(667),(673),(675),766,773,775	b) Resultados por enajenaciones y otras.			

Nº CUENTAS		Nota	(Debe) Haber	
			200X	200X-1
(6300)*,6301*,(633),638	A.2) RESULTADO FINANCIERO (12+13+14+15+16)			
	A.3) RESULTADO ANTES DE IMPUESTOS (A.1+A.2)			
	17. Impuestos sobre beneficios.			
	A.4) RESULTADO DEL EJERCICIO PROCEDENTE DE OPERACIONES CONTINUADAS (A.3+17)			
	B) OPERACIONES INTERRUMPIDAS			
	18. Resultado del ejercicio procedente de operaciones interrumpidas neto de impuestos.			
	A.5) RESULTADO DEL EJERCICIO (A.4+18)			

ESTADO DE CAMBIOS EN EL PATRIMONIO NETO CORRESPONDIENTE AL EJERCICIO TERMINADO EL ... DE 200X

A) ESTADO DE INGRESOS Y GASTOS RECONOCIDOS CORRESPONDIENTE AL EJERCICIO TERMINADO EL ... DE 200X

Nº CUENTAS		Notas en la memoria	200X	200X-1
	A) Resultado de la cuenta de pérdidas y ganancias			
	Ingresos y gastos imputados directamente al patrimonio neto			
(800),(89),900,991,992	I. Por valoración instrumentos financieros.			
	1. Activos financieros disponibles para la venta.			
	2. Otros ingresos/gastos.			
(810),910	II. Por coberturas de flujos de efectivo.			
94	III. Subvenciones, donaciones y legados recibidos.			
(85),95	IV. Por ganancias y pérdidas actuariales y otros ajustes.			
(8300)*,8301*,(833),834,835,838	V. Efecto impositivo.			
	B) Total ingresos y gastos imputados directamente en el patrimonio neto (I+II+III+IV+V)			
	Transferencias a la cuenta de pérdidas y ganancias			
(802),902,993,994	VI. Por valoración de instrumentos financieros.			
	1. Activos financieros disponibles para la venta.			
	2. Otros ingresos/gastos.			
(812),912	VII. Por coberturas de flujos de efectivo.			
(84)	VIII. Subvenciones, donaciones y legados recibidos.			
8301*,(836),(837)	IX. Efecto impositivo.			
	C) Total transferencias a la cuenta de pérdidas y ganancias (VI+VII+VIII+IX)			
	TOTAL DE INGRESOS Y GASTOS RECONOCIDOS (A + B + C)			

B) ESTADO TOTAL DE CAMBIOS EN EL PATRIMONIO NETO CORRESPONDIENTE AL EJERCICIO TERMINADO EL... DE 200x

| | Capital | | Prima de emisión | Reservas | (Acciones y participaciones en patrimonio propias) | Resultados de ejercicios anteriores | Otras aportaciones de socios | Resultado del ejercicio | (Dividendo a cuenta) | Otros instrumentos de patrimonio neto | Ajustes por cambios de valor | Subvenciones, donaciones y legados recibidos | TOTAL |
	Escriturado	No exigido											
A. SALDO, FINAL DEL AÑO 200X – 2													
I. Ajustes por cambios de criterio 200X-2 y anteriores.													
II. Ajustes por errores 200X-2 y anteriores.													
B. SALDO AJUSTADO, INICIO DEL AÑO 200X-1													
I. Total ingresos y gastos reconocidos.													
II. Operaciones con socios o propietarios.													
1. Aumentos de capital.													
2. (-) Reducciones de capital.													
3. Conversión de pasivos financieros en patrimonio neto (conversión obligaciones, condonaciones de deudas).													
4. (-) Distribución de dividendos.													
5. Operaciones con acciones o participaciones propias (netas).													
6. Incrementos (reducciones) de patrimonio neto resultante de una combinación de negocios.													
7. Otras operaciones con socios o propietarios.													
III. Otras variaciones del patrimonio neto.													
C. SALDO, FINAL DEL AÑO 200X – 1													
I. Ajustes por cambios de criterio 200X-1.													
II. Ajustes por errores 200X-1.													
D. SALDO AJUSTADO, INICIO DEL AÑO 200X													
I. Total ingresos y gastos reconocidos.													
II. Operaciones con socios o propietarios.													
1. Aumentos de capital.													
2. (-) Reducciones de capital.													
3. Conversión de pasivos financieros en patrimonio neto (conversión obligaciones, condonaciones de deudas).													
4. (-) Distribución de dividendos.													
5. Operaciones con acciones o participaciones propias (netas).													
6. Incrementos (reducciones) de patrimonio neto resultante de una combinación de negocios.													
7. Otras operaciones con socios o propietarios.													
III. Otras variaciones del patrimonio neto.													
E. SALDO, FINAL DEL AÑO 200X													

ESTADO DE FLUJOS DE EFECTIVO CORRESPONDIENTE AL EJERCICIO TERMINADO EL … DE 200X

	NOTAS	200X	200X-1
A) FLUJOS DE EFECTIVO DE LAS ACTIVIDADES DE EXPLOTACIÓN			
1. Resultado del ejercicio antes de impuestos.			
2. Ajustes del resultado.			
a) Amortización del inmovilizado (+).			
b) Correcciones valorativas por deterioro (+/-).			
c) Variación de provisiones (+/-).			
d) Imputación de subvenciones (-).			
e) Resultados por bajas y enajenaciones del inmovilizado (+/-).			
f) Resultados por bajas y enajenaciones de instrumentos financieros (+/-).			
g) Ingresos financieros (-).			
h) Gastos financieros (+).			
i) Diferencias de cambio (+/-).			
j) Variación de valor razonable en instrumentos financieros (+/-).			
k) Otros ingresos y gastos (-/+).			
3. Cambios en el capital corriente.			
a) Existencias (+/-).			
b) Deudores y otras cuentas a cobrar (+/-).			
c) Otros activos corrientes (+/-).			
d) Acreedores y otras cuentas a pagar (+/-).			
e) Otros pasivos corrientes (+/-).			
f) Otros activos y pasivos no corrientes (+/-).			
4. Otros flujos de efectivo de las actividades de explotación.			
a) Pagos de intereses (-).			
b) Cobros de dividendos (+).			
c) Cobros de intereses (+).			
d) Cobros (pagos) por impuesto sobre beneficios(+/-).			
e) Otros pagos (cobros) (-/+)			
5. Flujos de efectivo de las actividades de explotación (+/-1+/-2+/-3+/-4)			
B) FLUJOS DE EFECTIVO DE LAS ACTIVIDADES DE INVERSIÓN			
6. Pagos por inversiones (-).			
a) Empresas del grupo y asociadas.			
b) Inmovilizado intangible.			
c) Inmovilizado material.			
d) Inversiones inmobiliarias.			
e) Otros activos financieros.			
f) Activos no corrientes mantenidos para venta.			
g) Otros activos.			
7. Cobros por desinversiones (+).			
a) Empresas del grupo y asociadas.			
b) Inmovilizado intangible.			
c) Inmovilizado material.			
d) Inversiones inmobiliarias.			
e) Otros activos financieros.			
f) Activos no corrientes mantenidos para venta.			
g) Otros activos.			
8. Flujos de efectivo de las actividades de inversión (7-6)			
C) FLUJOS DE EFECTIVO DE LAS ACTIVIDADES DE FINANCIACIÓN			
9. Cobros y pagos por instrumentos de patrimonio.			
a) Emisión de instrumentos de patrimonio (+).			
b) Amortización de instrumentos de patrimonio (-).			
c) Adquisición de instrumentos de patrimonio propio (-).			
d) Enajenación de instrumentos de patrimonio propio (+).			
e) Subvenciones, donaciones y legados recibidos (+).			
10. Cobros y pagos por instrumentos de pasivo financiero.			
a) Emisión.			
1. Obligaciones y otros valores negociables (+).			
2. Deudas con entidades de crédito (+).			
3. Deudas con empresas del grupo y asociadas (+).			
4. Otras deudas (+).			
b) Devolución y amortización de			
1. Obligaciones y otros valores negociables (-).			
2. Deudas con entidades de crédito (-).			
3. Deudas con empresas del grupo y asociadas (-).			
4. Otras deudas (-).			
11. Pagos por dividendos y remuneraciones de otros instrumentos de patrimonio.			
a) Dividendos (-).			
b) Remuneración de otros instrumentos de patrimonio (-).			
12. Flujos de efectivo de las actividades de financiación (+/-9+/-10-11)			
D) Efecto de las variaciones de los tipos de cambio			
E) AUMENTO/DISMINUCIÓN NETA DEL EFECTIVO O EQUIVALENTES (+/-5+/-8+/-12+/- D)			
Efectivo o equivalentes al comienzo del ejercicio.			
Efectivo o equivalentes al final del ejercicio.			

ANEXO II: Cuadro de Amortización

Datos del préstamo del asiento número 7 del ejemplo práctico.
Capital préstamo: 3.000,00 u.m.
Periodo: 24 meses (2 años). **Tipo de interés**: 4 % efectivo anual.
Tipo préstamo: Sistema francés, cuota constante mensual.

MES	DEUDA VIVA	INTERESES	PRINCIPAL	CUOTA MENSUAL
0	3.000,00			
1	2.923,24	120,00	76,76	196,76
2	2.843,41	116,93	79,83	196,76
3	2.760,38	113,74	83,02	196,76
4	2.674,04	110,42	86,35	196,76
5	2.584,24	106,96	89,80	196,76
6	2.490,85	103,37	93,39	196,76
7	2.393,72	99,63	97,13	196,76
8	2.292,71	95,75	101,01	196,76
9	2.187,66	91,71	105,05	196,76
10	2.078,41	87,51	109,25	196,76
11	1.964,78	83,14	113,62	196,76
12	1.846,61	78,59	118,17	196,76
13	1.723,72	73,86	122,90	196,76
14	1.595,90	68,95	127,81	196,76
15	1.462,98	63,84	132,92	196,76
16	1.324,74	58,52	138,24	196,76
17	1.180,97	52,99	143,77	196,76
18	1.031,45	47,24	149,52	196,76
19	875,94	41,26	155,50	196,76
20	714,22	35,04	161,72	196,76
21	546,03	28,57	168,19	196,76
22	371,11	21,84	174,92	196,76
23	189,19	14,84	181,92	196,76
24	0,00	7,57	189,19	196,76

TOTAL	1.722,25	3.000,00	4.722,25
TOTAL AÑO 1	1.207,74	1.153,39	2.361,13
TOTAL AÑO 2	514,51	1.846,61	2.361,13

ANEXO III: Libro mayor de las cuentas de flujo

Seguidamente se muestra el libro mayor (extracto) de las cuentas de flujo, ordenadas según codificación. Los asientos registrados en las cuentas de flujo, como es lógico, se ordenan temporalmente, según fecha asiento. En la parte derecha se ha referenciado el número de asiento a que corresponde el movimiento.

A02a0001		Ajustes al resultado. Amortización inmovilizado	
Importe	*Saldo Acum.*	**Descripción**	**Asiento**
750,00	*750,00*	Dotación Amortización	Asiento 12: Fecha 31-12-20xx

A02b0001		Ajuste del resultado. Corrección valorativa cliente. Deterioro cliente 1	
Importe	*Saldo Acum.*	**Descripción**	**Asiento**
5.900,00	*5.900,00*	Deterioro de los ctos. comerciales	Asiento 10: Fecha 15-8-20xx

A02c0001		Ajustes Resultado. Variación provisiones. Sanción Administración	
Importe	*Saldo Acum.*	**Descripción**	**Asiento**
850,00	*850,00*	Provision por otras responsabilidades	Asiento 13: Fecha 31-08-20xx

A02f0001		Ajuste Resultado. Resultados de instrumentos financieros	
Importe	*Saldo Acum.*	**Descripción**	**Asiento**
−97,50	−97,50	Venta parcial activos financieros	Asiento 17: Fecha 31-10-20xx

A02g0001		Ajuste Resultado. Ingresos financieros liquidación c/c	
Importe	*Saldo Acum.*	**Descripción**	**Asiento**
−116,00	−116,00	Ingresos financieros liquidación cuentas	Asiento 14: Fecha 31-08-20xx

A02h0001		Ajustes resultados. Gastos financieros	
Importe	*Saldo Acum.*	**Descripción**	**Asiento**
1.207,74	*1.207,74*	Intereses deudas Ent. Cto.	Asiento 8: Fecha 31-xx-20xx

A02i0001		Ajustes Resultados. Diferencias de cambio m.e.	

Importe	*Saldo Acum.*	Descripción	Asiento
−10,00	*−10,00*	Variación valoración divisa cta. cte.	Asiento 19: Fecha 31-12-20xx

A02j0001		Ajuste Resultado. Variación valor razonable instrumentos financieros	

Importe	*Saldo Acum.*	Descripción	Asiento
−123,75	*−123,75*	Revaloración activos de la cartera de negociación	Asiento 18: Fecha 31-12-20xx

A03b0001		Deudores y otras cuentas a cobrar. Cliente 1	

Importe	*Saldo Acum.*	Descripción	Asiento
−11.800,00	*−11.800,00*	Cliente 1	Asiento 4: Fecha 15-1-20xx
5.900,00	*−5.900,00*	Cliente 1	Asiento 5: Fecha 15-3-20xx
5.900,00	*0,00*	Cliente 1	Asiento 10: Fecha 15-8-20xx

A03c0002		Otros activos corrientes. IVA soportado	

Importe	*Saldo Acum.*	Descripción	Asiento
−1.260,00	*−1.260,00*	HP IVA soportado	Asiento 3: Fecha 30-1-20xx

A03b0003		Deudores y otras cuentas a cobrar. Cliente 1 dudoso cobro	

Importe	*Saldo Acum.*	Descripción	Asiento
−5.900,00	*−5.900,00*	Cliente 1 dudoso cobro	Asiento 10: Fecha 15-8-20xx

A03d0003		Acreedores y otras cuentas a pagar. Proveedor 3	

Importe	*Saldo Acum.*	Descripción	Asiento
4.130,00	*4.130,00*	Proveedor 3	Asiento 3: Fecha 30-1-20xx
−4.130,00	*0,00*	Proveedor 3	Asiento 6: Fecha 31-3-20xx

A03d0004		Acreedores y otras cuentas a pagar. Seg. Social Acreedora	

Importe	*Saldo Acum.*	Descripción	Asiento
300,00	*300,00*	Seg. Social Acreedor	Asiento 11: Fecha 31-xx-20xx

A03d0005		Acreedores y otras cuentas a pagar. HP Acreedora retenciones	

Importe	Saldo Acum.	Descripción	Asiento
600,00	600,00	HP Acreedora retención	Asiento 11: Fecha 31-xx-20xx

A03b0006		Deudores y otras cuentas a cobrar. HP Deudora retención	

Importe	Saldo Acum.	Descripción	Asiento
−22,04	−22,04	Retención liquidación cuenta	Asiento 14: Fecha 31-08-20xx

A03e0002		Acreedores y otras cuentas a pagar. Iva Repercutido	

Importe	Saldo Acum.	Descripción	Asiento
1.800,00	1.800,00	HP IVA repercutido	Cliente 1

A03f0001		Otros activos no corrientes	

Importe	Saldo Acum.	Descripción	Asiento
−2.115,25	−2.115,25	impuesto diferido	Asiento 20: Fecha 31-12-20xx

A04c0001		Otros flujos. Cobro intereses	

Importe	Saldo Acum.	Descripción	Asiento
116	116,00	Ingresos finan. liquidación cuentas	Asiento 14: Fecha 31-08-20xx

A04d0001		Cobros pagos por impuestos beneficios	

Importe	Saldo Acum.	Descripción	Asiento
2.115,25	2.115,25	impuesto diferido	Asiento 20: Fecha 31-12-20xx

B06c0001		Pagos por Inversiones. Inmovilizado Material. Compra equipo IT	

Importe	Saldo Acum.	Descripción	Asiento
−3.000,00	−3.000,00	I.M. Equipos IT	Asiento 2: Fecha 3-1-20xx

B06e0001	Pagos por inversiones. Otros activos financieros	

Importe	Saldo Acum.	Descripción	Asiento
−750,00	−750,00	Inversiones Financieras	Asiento 16: Fecha 30-09-20xx

B06g0001	Pagos por inversiones. Otros activos. IVA soportado	

Importe	Saldo Acum.	Descripción	Asiento
−540,00	−540,00	HP IVA soportado	Asiento 2: Fecha 3-1-20xx

B07e0001	Pagos por inversiones. Otros activos financieros	

Importe	Saldo Acum.	Descripción	Asiento
472,50	472,50	Venta parcial activos financieros	Asiento 17: Fecha 31-10-20xx

C09a0001	Emisión Instrumentos de patrimonio. Aportación Capital Social	

Importe	Saldo Acum.	Descripción	Asiento
10.000,00	10.000,00	Capital social	Asiento 1: Fecha 1-1-20xx

C10a2001	Cobros y pagos instrumentos financieros. Pasivo financiero. Deudas Entidades Cto. C/P. Principal	

Importe	Saldo Acum.	Descripción	Asiento
1.153,39	1.153,39	Deudas a CP ent. Cto.	Asiento 7: Fecha 1-1-20xx

C10a2002	Cobros y pagos instrumentos financieros. Pasivo financiero. Deudas Entidades Cto. L/P. Principal	

Importe	Saldo Acum.	Descripción	Asiento
1.846,61	1.846,61	Deudas a LP ent. Cto.	Asiento 7: Fecha 1-1-20xx

C10a4001	Cobros y pagos instrumentos financieros. Pasivo financiero. Otras deudas	

Importe	Saldo Acum.	Descripción	Asiento
3.540,00	3.540,00	Acreedor 1 Equipos IT	Asiento 2: Fecha 3-1-20xx

C10b2001	Cobros y pagos instrumentos financieros. Pasivo financiero. Deudas Entidades Cto. C/P. Principal

Importe	Saldo Acum.	Descripción	Asiento
−1.153,39	−1.153,39	Deudas a LP ent. Cto.	Asiento 8: Fecha 31-xx-20xx

C10b2003	Cobros y pagos instrumentos financieros. Pasivo financiero. Deudas Entidades Cto. Pago Intereses

Importe	Saldo Acum.	Descripción	Asiento
−1.207,74	−1.207,74	Intereses deudas Ent. Cto.	Asiento 8: Fecha 31-xx-20xx

C10b4001	Cobros y pagos instrumentos financieros. Pasivo financiero. Otras deudas

Importe	Saldo Acum.	Descripción	Asiento
−3.540,00	−3.540,00	Acreedor 1 Equipos IT	Asiento 9: Fecha 3-7-20xx

D0000001	Efecto variación del tipo de cambio

Importe	Saldo Acum.	Descripción	Asiento
10,00	10,00	Variación valoración divisa cta. cte.	Asiento 19: Fecha 31-12-20xx

ANEXO IV: balance, cuenta de resultados y estado de flujos de efectivo del Ejemplo Práctico

BALANCE DE SITUACIÓN

A C T I V O	31-12-xx	Núm. Asiento
A) ACTIVO NO CORRIENTE	**4.365,25**	
I. Inmovilizado intangible.	-	
II. Inmovilizado material.	**2.250,00**	
2. Instalaciones técnicas, y otro inmovilizado material.	2.250,00	2,12
III. Inversiones inmobiliarias.		
IV. Inversiones en empresas del grupo y asociadas a largo plazo.		
V. Inversiones financieras a largo plazo.		
VI. Activos por impuesto diferido.	**2.115,25**	20
B) ACTIVO CORRIENTE	**4.685,62**	
I. Activos no corrientes mantenidos para la venta.		
II. Existencias.		
III. Deudores comerciales y otras cuentas a cobrar.	**1.822,04**	
1. Clientes por ventas y prestaciones de servicios.	0,00	4,5,10
6. Otros créditos con las Administraciones Públicas.	1.822,04	2,3,14
IV. Inversiones en empresas del grupo y asociadas a corto plazo.		
V. Inversiones financieras a corto plazo.	**498,75**	
1. Instrumentos de patrimonio.	498,75	16,17, 18
VI. Periodificaciones a corto plazo.		
VII. Efectivo y otros activos líquidos equivalentes.	**2.364,83**	
1. Tesorería.	2.364,83	1,3,5,6,7,8,9,11, 14,15, 16, 17, 19
TOTAL ACTIVO (A+B)	**9.050,87**	

PATRIMONIO NETO Y PASIVO		Núm. Asiento
A) PATRIMONIO NETO	**3.654,26**	
A-1) Fondos propios.	**3.654,26**	
I. Capital.	**10.000,00**	
1. Capital escriturado.	10.000,00	1
II. Prima de emisión.		
III. Reservas.		
IV. (Acciones y participaciones en patrimonio propias).		
V. Resultados de ejercicios anteriores.		
VII. Resultado del ejercicio.	–6.345,74	
VIII. (Dividendo a cuenta).		
IX. Otros instrumentos de patrimonio neto.		
A-2) Ajustes por cambios de valor.		
I. Activos financieros disponibles para la venta.		
II. Operaciones de cobertura.		
III. Otros.		
A-3) Subvenciones, donaciones y legados recibidos.		
B) PASIVO NO CORRIENTE	**2.696,61**	
I. Provisiones a largo plazo.		
1. Obligaciones por prestaciones a largo plazo al personal.		
2. Actuaciones medioambientales.		
3. Provisiones por reestructuración.		
4. Otras provisiones.	850,00	13
II Deudas a largo plazo.	**1.846,61**	
2. Deudas con entidades de crédito.	1.846,61	7
IV. Pasivos por impuesto diferido.		
V. Periodificaciones a largo plazo.		
C) PASIVO CORRIENTE	**2.700,00**	
I. Pasivos vinculados con activos no corrientes mantenidos para la venta.		
II. Provisiones a corto plazo.		
III. Deudas a corto plazo.	**0,00**	
2. Deudas con entidades de crédito.	0,00	7,8
IV. Deudas con empresas del grupo y asociadas a corto plazo.		
V. Acreedores comerciales y otras cuentas a pagar.	**2.700,00**	
1. Proveedores.	0,00	3,6
3. Acreedores varios.	0,00	2,9
6. Otras deudas con las Administraciones Públicas.	2.700,00	4,11
VI. Periodificaciones a corto plazo.		
TOTAL PATRIMONIO NETO Y PASIVO (A + B + C)	**9.050,87**	

CUENTA DE PÉRDIDAS Y GANANCIAS

CONCEPTOS	31-12-xx	Núm. Asiento
A) OPERACIONES CONTINUADAS		
1. Importe neto de la cifra de negocios.	**10.000,00**	
a) Ventas.	10.000,00	4
4. Aprovisionamientos.	**–7.000,00**	
a) Consumo de mercaderías.	–7.000,00	3
6. Gastos de personal.	**–3.100,50**	
a) Sueldos, salarios y asimilados.	–2.950,50	11
b) Cargas sociales.	–150,00	11
7. Otros gastos de explotación.	**–5.900,00**	
c) Pérdidas, deterioro y variación de provisiones por operaciones comerciales.	–5.900,00	10
8. Amortización del inmovilizado.	**–750,00**	12
13. Otros resultados	–850,00	13
A.1) RESULTADO DE EXPLOTACIÓN (1+2+3+4+5+6+7+8+9+10+11)	**–7.600,50**	
12. Ingresos financieros.	**116,00**	
b2) De terceros.	116,00	14
13. Gastos financieros.	**–1.207,74**	
b) Por deudas con terceros.	–1.207,74	8
14. Variación de valor razonable en instrumentos financieros.	**123,75**	
a) Cartera de negociación y otros.	123,75	18
15. Diferencias de cambio.	**10,00**	19
16. Deterioro y resultado por enajenaciones de instrumentos financieros.	**97,50**	
b) Resultados por enajenaciones y otras.	97,50	17
A.2) RESULTADO FINANCIERO (12+13+14+15+16)	**–860,49**	
A.3) RESULTADO ANTES DE IMPUESTOS (A.1+A.2)	**–8.460,99**	
17. Impuestos sobre beneficios.	2.115,25	20
A.5) RESULTADO DEL EJERCICIO	**–6.345,74**	

ESTADO DE FLUJOS DE EFECTIVO

	31-12-XX	N. Asiento
A) FLUJOS DE EFECTIVO DE LAS ACTIVIDADES DE EXPLOTACIÓN		
1. Resultado del ejercicio antes de impuestos.	–8.460,99	
2. Ajustes del resultado.	8.360,49	
a) Amortización del inmovilizado (+).	750,00	12
b) Correcciones valorativas por deterioro (+/–).	5.900,00	10
c) Variación de provisiones (+/–).	850,00	13
d) Imputación de subvenciones (–).	-	
e) Resultados por bajas y enajenaciones del inmovilizado (+/–).	-	
f) Resultados por bajas y enajenaciones de instrumentos financieros (+/–).	–97,50	17
g) Ingresos financieros (–).	–116,00	14
h) Gastos financieros (+).	1.207,74	8
i) Diferencias de cambio (+/–).	–10,00	19
j) Variación de valor razonable en instrumentos financieros (+/–).	–123,75	18
k) Otros ingresos y gastos (–/+).		
3. Cambios en el capital corriente.	–6.597,29	
a) Existencias (+/–).	-	
b) Deudores y otras cuentas a cobrar (+/–).	–5.922,04	4, 5, 10,14
c) Otros activos corrientes (+/–).	–1.260,00	3
d) Acreedores y otras cuentas a pagar (+/–).	900,00	3,6, 11
e) Otros pasivos corrientes (+/–).	1.800,00	4
f) Otros activos y pasivos no corrientes (+/–).	–2.115,25	20
4. Otros flujos de efectivo de las actividades de explotación.	2.231,25	
a) Pagos de intereses (–).	-	
b) Cobros de dividendos (+).	-	
c) Cobros de intereses (+).	116,00	14
d) Cobros (pagos) por impuesto sobre beneficios(+/–).	2.115,25	20
e) Otros pagos (cobros) (–/+).	-	
5. Flujos de efectivo de las actividades de explotación (+/–1+/–2+/–3+/–4)	–4.466,54	
B) FLUJOS DE EFECTIVO DE LAS ACTIVIDADES DE INVERSIÓN		
6. Pagos por inversiones (–).	–4.290,00	
a) Empresas del grupo y asociadas.	-	
b) Inmovilizado intangible.	-	
c) Inmovilizado material.	–3.000,00	2
d) Inversiones inmobiliarias.	-	
e) Otros activos financieros.	–750	16
f) Activos no corrientes mantenidos para venta.	-	
g) Otros activos.	–540,00	2

7. Cobros por desinversiones (+).	**472,5**	
a) Empresas del grupo y asociadas.	-	
b) Inmovilizado intangible.	-	
c) Inmovilizado material.	-	
d) Inversiones inmobiliarias.	-	
e) Otros activos financieros.	472,5	17
f) Activos no corrientes mantenidos para venta.	-	
g) Otros activos.	-	
8. Flujos de efectivo de las actividades de inversión (7-6)	**-3.817,50**	
C) FLUJOS DE EFECTIVO DE LAS ACTIVIDADES DE FINANCIACIÓN		
9. Cobros y pagos por instrumentos de patrimonio.	**10.000,00**	
a) Emisión de instrumentos de patrimonio (+).	10.000,00	1
b) Amortización de instrumentos de patrimonio (-)	-	
c) Adquisición de instrumentos de patrimonio propio (-).	-	
d) Enajenación de instrumentos de patrimonio propio (+).	-	
e) Subvenciones, donaciones y legados recibidos (+).	-	
10. Cobros y pagos por instrumentos de pasivo financiero.	**638,87**	
a) Emisión	6.540,00	
1. Obligaciones y otros valores negociables (+).	-	
2. Deudas con entidades de crédito (+).	3.000,00	7
3. Deudas con empresas del grupo y asociadas (+).	-	
4. Otras deudas (+).	3.540,00	2
b) Devolución y amortización de	-5.901,13	
1. Obligaciones y otros valores negociables (-).	-	
2. Deudas con entidades de crédito (-).	-2.361,13	8
3. Deudas con empresas del grupo y asociadas (-).	-	
4. Otras deudas (-).	-3.540,00	9
11. Pagos por dividendos y remuneraciones de otros instrume. de patrimonio	-	
a) Dividendos (-).	-	
b) Remuneración de otros instrumentos de patrimonio (-).	-	
12. Flujos de efectivo de las actividades de financiación (+/-9+/-10-11)	**10.638,87**	
D) Efecto de las variaciones de los tipos de cambio	**10,00**	19
E) AUMENTO/DISMIN.NETA DEL EFECTIVO O EQUIVALENTES (+/-5+/-8+/-12+/-D)	**2.364,83**	
Efectivo o equivalentes al comienzo del ejercicio.	0,00	
Efectivo o equivalentes al final del ejercicio.	2.364,83	

ANEXO V: Norma 9.ª estado de flujos de efectivo, en la tercera parte del PGC dentro de las Normas de Elaboración de las Cuentas Anuales, recogido en el Real Decreto 1514/ 2007, de 16 de noviembre, por el que se aprueba el Plan General de Contabilidad

El estado de flujos de efectivo informa sobre el origen y la utilización de los activos monetarios representativos de efectivo y otros activos líquidos equivalentes, clasificando los movimientos por actividades e indicando la variación neta de dicha magnitud en el ejercicio.

Se entiende por efectivo y otros activos líquidos equivalentes los que como tal figuran en el epígrafe B.VII del activo del balance, es decir, la tesorería depositada en la caja de la empresa, los depósitos bancarios a la vista y los instrumentos financieros que sean convertibles en efectivo y que en el momento de su adquisición, su vencimiento no fuera superior a tres meses, siempre que no exista riesgo significativo de cambios de valor y formen parte de la política de gestión normal de la tesorería de la empresa.

Asimismo, a los efectos del estado de flujos de efectivo se podrán incluir, como un componente del efectivo, los descubiertos ocasionales cuando formen parte integrante de la gestión del efectivo de la empresa.

Este documento se formulará teniendo en cuenta que:

1. Flujos de efectivo procedentes de las actividades de explotación son fundamentalmente los ocasionados por las actividades que constituyen la principal fuente de ingresos de la empresa, así como por otras actividades que no puedan ser calificadas como de inversión o financiación.

   La variación del flujo de efectivo ocasionada por estas actividades se mostrará por su importe neto, a excepción de los flujos de efectivo correspondientes a intereses, dividendos percibidos e impuestos sobre beneficios, de los que se informará separadamente.

   A estos efectos, el resultado del ejercicio antes de impuestos será objeto de corrección para eliminar los gastos e ingresos que no hayan producido un movimiento de efectivo e incorporar las transacciones de ejercicios anteriores cobradas o pagadas en el actual, clasificando separadamente los siguientes conceptos:

a) Los ajustes para eliminar:

— Correcciones valorativas, tales como amortizaciones, pérdidas por deterioro de valor o resultados surgidos por la aplicación del valor razonable, así como las variaciones en las provisiones.

— Operaciones que deban ser clasificadas como actividades de inversión o financiación, tales como resultados por enajenación de inmovilizado o de instrumentos financieros.

— Remuneración de activos financieros y pasivos financieros cuyos flujos de efectivo deban mostrarse separadamente conforme a lo previsto en el apartado c) siguiente.

El descuento de papel comercial, o el anticipo por cualquier otro tipo de acuerdo, del importe de las ventas a clientes se tratará a los efectos del estado de flujos de efectivo como un cobro a clientes que se ha adelantado en el tiempo.

b) Los cambios en el capital corriente que tengan su origen en una diferencia en el tiempo entre la corriente real de bienes y servicios de las actividades de explotación y su corriente monetaria.

c) Los flujos de efectivo por intereses, incluidos los contabilizados como mayor valor de los activos, y cobros de dividendos.

d) Los flujos de efectivo por impuesto sobre beneficios.

2. Flujos de efectivo por actividades de inversión son los pagos que tienen su origen en la adquisición de activos no corrientes y otros activos no incluidos en el efectivo y otros activos líquidos equivalentes, tales como inmovilizados intangibles, materiales, inversiones inmobiliarias o inversiones financieras, así como los cobros procedentes de su enajenación o de su amortización al vencimiento.

3. Los flujos de efectivo por actividades de financiación comprenden los cobros procedentes de la adquisición por terceros de títulos valores emitidos por la empresa o de recursos concedidos por entidades financieras o terceros, en forma de préstamos u otros instrumentos de financiación, así como los pagos realizados por amortización o devolución de las cantidades aportadas por ellos. Figurarán también como flujos de efectivo por actividades de financiación los pagos a favor de los accionistas en concepto de dividendos.

4. Los cobros y pagos procedentes de activos financieros, así como los correspondientes a los pasivos financieros de rotación elevada podrán mostrarse netos, siempre que se informe de ello en la memoria. Se considerará que el periodo de rotación es elevado cuando el plazo entre la fecha de adquisición y la de vencimiento no supere seis meses.

5. Los flujos procedentes de transacciones en moneda extranjera se convertirán a la moneda funcional al tipo de cambio vigente en la fecha en que se produjo cada flujo en cuestión, sin perjuicio de poder utilizar una media ponderada representativa del tipo de cambio del periodo en aquellos casos en que exista un volumen elevado de transacciones efectuadas.
    Si entre el efectivo y otros activos líquidos equivalentes figuran activos denominados en moneda extranjera, se informará en el estado de flujos de efectivo del efecto que en esta rúbrica haya tenido la variación de los tipos de cambio.

6. La empresa debe informar de cualquier importe significativo de sus saldos de efectivo y otros activos líquidos equivalentes al efectivo que no estén disponibles para ser utilizados.

7. Cuando exista una cobertura contable, los flujos del instrumento de cobertura se incorporarán en la misma partida que los de la partida cubierta, indicando en la memoria este efecto.

8. En el caso de operaciones interrumpidas, se detallarán en la nota correspondiente de la memoria los flujos de las distintas actividades.

9. Respecto a las transacciones no monetarias, en la memoria se informará de las operaciones de inversión y financiación significativas que, por no

haber dado lugar a variaciones de efectivo, no hayan sido incluidas en el estado de flujos de efectivo (por ejemplo, conversión de deuda en instrumentos de patrimonio o adquisición de un activo mediante un arrendamiento financiero).

En caso de existir una operación de inversión que implique una contraprestación parte en efectivo o activos líquidos equivalentes y parte en otros elementos, se deberá informar sobre la parte no monetaria independientemente de la información sobre la actividad en efectivo o equivalentes que se haya incluido en el estado de flujos de efectivo.

10. La variación de efectivo y otros activos líquidos equivalentes ocasionada por la adquisición o enajenación de un conjunto de activos y pasivos que conformen un negocio o línea de actividad se incluirá, en su caso, como una única partida en las actividades de inversión, en el epígrafe de inversiones o desinversiones según corresponda, creándose una partida específica al efecto con la denominación "Unidad de negocio".

11. Cuando la empresa posea deuda con características especiales, los flujos de efectivo procedentes de ésta, se incluirán como flujos de efectivo de las actividades de financiación, en una partida específica denominada "Deudas con características especiales" dentro del epígrafe 10. "Cobros y pagos por instrumentos de pasivo financiero".

BIBLIOGRAFÍA Y DOCUMENTACIÓN

Carmona Ibáñez, P. "La elaboración del estado de flujos de efectivo: metodología práctica". *Revista Partida Doble*, núm. 193, páginas 50 a 69, noviembre, 2007.

Gómez-Bazares, F. *Las decisiones financieras en la práctica*. Ed. Desclee de Brouwer. 9.ª edición, 2004.

Alvares López, J. (1991) *Introducción a la Contabilidad*. Ed. Donostiarra. San Sebastián. 18.ª edición

Castillo Merino, D. y Castillo Merino, R. "Una propuesta metodológica para la elaboración del estado de flujos de efectivo". *Revista Técnica Contable*, núm. 719, páginas 26 a 39, mayo, 2009.

Vila Bigliere, J.E. "El EFE y su utilidad en la predicción del fracaso empresarial: un estudio empírico". *Revista Partida Doble*, núm. 199, páginas 80 a 90, mayo, 2008.

Ibáñez Jiménez, E. y Parte Esteban, L. "El estado de flujos de efectivo: presentación y análisis". *Revista Partida Doble*, núm. 199, páginas 64 a 79, mayo, 2008.

Morala Gómez, B. "Nuevos estados integrantes de las cuentas anuales: el estado de flujos de efectivo y el estado de cambios en el patrimonio neto". *Pecvnia*, Monográfico (2009), páginas 311 a 345.

Norma Internacional de Contabilidad núm. 7 (NIC 7), aprobada por el Consejo del IASC (International Accounting Standards Committee) en octubre de 1997.

Marco conceptual para la preparación y presentación de Estados Financieros, aprobado por el Consejo del IASC (International Accounting Standards

Committee), en abril de 1989, y adoptado por el IASB (International Accounting Standards Board) en abril 2001.

Real Decreto 1514/ 2007, de 16 de noviembre, por el que se aprueba el Plan General de Contabilidad. (Suplemento del BOE núm. 278)

Principios y Normas de Contabilidad en España. Comisión de Principios Contables de la Asociación Española de Contabilidad y Administración de Empresas. (www.aeca.es).

Registro de Economistas y Asesores Fiscales. "Nuevo Plan General Contable". Editado: Consejo General de Colegios de Economistas de España (2008).